不思議の国ニッポン

作家
豊田有恒
漫画家・文筆家・画家
ヤマザキマリ

ビジネス社

はじめに

見えない将来に対して引かれた一つの導線

ヤマザキマリ

日本では、国内に在住する外国人が日本の文化について論じたり、観光に訪れた外国人に動機や目的を尋ねたりする番組が放映されているが、そのように自国を対外的な解釈から再認識するような類の番組を、他の国では見たことがない。私が今までに唯一、自分たちの土地の印象を問われた場所はイタリア南部のシチリアだが、彼らの問いは『ゴッドファーザー』で一気に知名度が高まったシチリアに、実際現在でもマフィアが関わるニュースが途絶えないことへの懸念によるものだった。

日本の場合は、そうした動機とは別次元のものだ。自分たちにとっては通常化してしまった日常への、客観的な好奇心と捉えるべきなのだろうか。

『テルマエ・ロマエ』のヒットは作者である私にとって大きな謎だった。担当編集者には、こんなニッチな漫画は日本全国で５００人も読み手がつけば万々歳だろうと言われ、初版部数もごくわずか、特化したマーケティング展開をしたわけでもないのに、発売から数カ月で次々に増刷がかかっていった。間もなく当時ポルトガルに暮らしていた私のもとに、二つの大きな漫画賞受賞の知らせが届き、編集者は「わけがわからん、こんなことになってどうするんだ一体」と動揺し、息子からは「どうしてこんな漫画が選ばれるの」と呆れられた。

しかし、その理由をもっとも知りたかったのは他でもない、私自身である。日本はいつからそんなに古代ローマ好きになったのか。いつから入浴文化にそれほどの関心を持つようになったのか。思いがけないその奇妙な顛末にしみじみ考え込んでしまった。

そのうちＳＮＳやレビューサイトで、この作品について「日本のお風呂文化の素晴らしさを再確認」「日本ってすごかったんだ」というような感想があるのを目にするようになった。要するに、『テルマエ・ロマエ』という漫画は、日本の入浴文化を再評価する要素を持った作品だったのである。

私にしてみれば、それまで中東や欧州などローマ遺跡が身近にある環境で生活していたこと、それに加えて、なかなか浴槽のある家に暮らすことができず、募る入浴への枯渇感を解消する目的で描いたような作品だったわけだが、日本を離れたからこそ痛感した入浴という文化への潜在的な敬意が、自覚のないまま表現されていたのだろう。確かに、比較文学研究者の夫には、「日本の自尊心を満たす内容ともとれる漫画」と評されたこともあった。イタリアはイタリアで、この漫画の翻訳が出版されると「なぜ日本人が自分たちのものであるはずの古代ローマにこれだけ入れ込むのか」などという記事が新聞に書かれたこともあったが、それはそれで、自分たちの歴史を誇りに思う彼らの自尊心の現れだったのだろう。

ただ、彼らにはそうした自国の文化と歴史については確固たる揺るぎない信念があるため、外側の人間による想定外の批評を受け入れる必要はそれほどない。自分の国のことは自分たちが一番よくわかっているのだから、外国の人間にあれこれ言われたくない、という意識は日本よりも遥かに強固だ。そこが常に「世間体」といった外側の目を意識しながら生きている日本人との大きな違いなのだと思う。

豊田先生も私も、帰属している社会単位を客観的に分析するという、想像力を常に稼働させていなければ務まらない仕事に携わっている。どんな分野でも対応可能な膨大な知識量とフレキシブルかつ振り幅の広い視点を基軸に置いた豊田先生の発言や見解には、人間という括(くく)りを超えた知性の存在感を覚えて圧倒されるばかりである。豊田先生と親しく、私も尊敬する小松左京氏の書籍を読んでいても感じることだが、そもそもSFというのは既成概念を払拭し、常に自分たちが慣れ親しんでいる環境や習慣に、警戒心と疑念を持ち続けなければ得られない世界観に根づいたジャンルである。人類としての自負や驕りにすがって生きているような人とは、おそらくこのような内容の対談は成立しなかっただろう。

　この先、世界がどのような変化を遂げていくのかまったく想像もつかないが、自分たちの帰属する社会を俯瞰で捉える意識が盛んな日本の人にとって、ここにこれから交わされる対話はそんな見えない将来に対して引かれた導線の一つとなるはずだ。

第3章

日本人のバックボーン＝神道は多神教

第4章 宗教とエンターテインメントと政治を考える

第5章 水木しげると手塚治虫

おわりに
ヤマザキさんとイタリアを巡る奇縁

第1章

「信じる」は美徳なのだろうか？

変わり身の早い国民性

豊田　年長者の特権（？）として、私から口火を切らせてもらいますが、84年も生きていると、いろいろな経験をします。価値観、人生の変化にも、何度も出会っています。まず、私は国民学校に入学した最後の世代です。入学するなり、全校生徒が講堂に集められ、天皇（昭和帝）の御真影（ごしんえい）なるものを拝まされる。教頭先生が紫の幔幕（まんまく）を開くと天皇の写真が現れるわけですが、実際には深く頭を下げていないといけないので、見られるわけではない。こうした儀式を行われた最後の世代です。

そもそも国民学校とは、ナチスドイツのVolksschule（フォルクスシューレ）を直訳した呼称です。それ以前は尋常（じんじょう）小学校と呼ばれていたのが、国を挙げてナチスドイツにかぶれて、初等学校の名前まで変えてしまった。

その結果、とうとう破滅することになります。朝日新聞など、今になって平和志向のようなことを言いますが、もっとも好戦的に日独伊三国同盟を推進したわけですが、現在も頬被（ほおかぶ）りしたままです。

国民学校へ上がると、先生が鬼畜米英のようなことを言います。ところが、終戦になり疎開から戻ると、その同じ先生がアメリカ万歳みたいなことを言う。子供心に軽々しく他人を信用してはいけないという、いい教訓を得たわけです。

変わり身が早いのは日本人の国民性の一部でしょう。明治維新のときだって、外敵を追い払えという攘夷論だったはずの明治政府が、あっという間に文明開化で鹿鳴館でしょう。これも良くいえば長所で、主義主張や宗教信条に煩わされずに、意志決定ができるわけです。

ところで、ヤマザキさんはずいぶん早い時期から海外に出ていらっしゃいましたね。

ヤマザキ 絵画を学ぶため、私が初めてイタリアに渡ったのは17歳のときでした。といっても、自分の意志で行ったわけではなく、14歳で初めて欧州に一人旅をした際に偶然出会ったマルコさんというイタリア人の陶芸家と母が手紙のやりとりをしながら取り決めたことでして、その当時の私にはイタリアに対する関心などほとんどありませんでした。自分の人生すべてにいえることですが、このイタリア行きも成り行きに抗わず、成り行きに身を委ねた結果です。イタリアについて知っていたことといったら、人形劇のキャラクター「トッポ・ジージョ」くらいですかね（笑）

豊田　私が最初にイタリアを意識したのは、戦後、ある1本の映画を観たときです。

　前提をお話しすると、1945年3月10日に東京大空襲が起こった際、私は小学校入学を控えていました。群馬県の前橋市ですが、父親が病院を開業していて、その屋上から100キロ南を見たら真っ赤なのですよ。

ヤマザキ　100キロも先が見えるのですか。

豊田　ええ。100キロ離れているにもかかわらず、南の空が真っ赤になっているのです。それが記憶に焼きついています。

　その後、小学校に入学はしたのですが、すぐに疎開しました。父の病院も爆撃され、記憶では病院の診察台の鉄の部分だけ焼け残っていました。周囲は瓦礫の山で、小学校3、4年生まで、うちは片付かなかったです。

　その頃に観た映画がイタリア映画の『自転車泥棒』（ヴィットリオ・デ・シーカ監督、日本での公開は1950年）でした。生活が苦しいなか手に入れたにもかかわらず、盗まれてしまった1台の自転車を取り戻すべく奔走する親子の姿を描いた作品

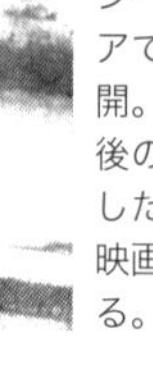

『自転車泥棒』のワンシーン。本国イタリアでは1948年に公開。第二次世界大戦後のローマを舞台にしたネオレアリズモ映画の代表作とされる。

ですが、背景に瓦礫の山が映し出されていましたよね。それを観て「あ、うちと同じだ。こういう国もあるんだ」と。イタリアも日本も同じだったのです。

予定調和は存在しない

ヤマザキ　イタリアは、たとえばシチリア島に行くと、パレルモ市内などは第二次世界大戦で爆撃されたそのままの状態が、経済的な理由からだと思うのですけれど、何十年間も放置されたままになっていたりします。バラックやそれ以前の古い建造物が渾然一体となった街中に、第二次世界大戦の爪痕もしっかり残っている。なので人々は人間が過去に残してきたあらゆる痕跡を目の当たりにしながら生きている。日本ではなかなか得られない感覚だといえます。

イタリアではフィレンツェのアカデミアという美術学校に通っていましたが、お金がなく食べるのにも困るような生活をしていました。11年間の滞在で26回も引越しするなど、今思えばあり得ないような経験をしましたが、もし私があのときにイタリアに対して固定したイメージを持っていたり、理想を抱いていたりしたら、おそらくものすごく幻滅し、失望していたと思います。

イタリアに暮らしているというと「イタリアって、マンジャーレ、カンターレ、アモーレ(食べて、歌って、愛して)の国なんでしょ」と周囲からは言われるわけですが、少なくとも私は自分の暮らしの周辺で、そんな様子のイタリア人など見たことがありません。私の周りにいたのはみんな、むしろそういうイタリアのイメージを嫌う人たちばかりでした。日本ってサムライ、ゲイシャなんでしょ、と言われて違和感を感じるのと同じです。人はいかに自分たちに都合のいいようなものしか見ていないのか、見たいものしか見ようとしていないのかがよくわかります。

一歩踏み込んだ政治の話になると、その傾向は顕著になり、自分たちに都合のいいことしか受け止めたくなくなるのでしょう。

豊田 それは、さまざまな局面でいえることですね。ヤマザキさんと私は20歳以上も年齢が離れていますが、我々の世代は、幼稚園の先生からも軍国教育を受けていました。

疎開すれば、疎開先で「言葉が違うから」という理由でいじめられ、疎開先に順応しても、元の場所に戻ればまた「言葉が違う」「習慣が違う」といじめられる。子供時代に二重のいじめを経験しているのが、私たちの世代なんです。価値観が崩壊するという経験を、これまで何度もしてきました。「現代の作家には〝原体験〟がない」と、戦争体験のある作家さんたちがおっしゃる理由はそんなところにあるのだと思います。

ヤマザキ その通りですね。

昨年、私はNHKの『100分de名著』という番組で、安部公房の『砂の女』の読み解きを担当していましたが、安部公房は1924年生まれです。25年生まれの三島由紀夫や30年生まれの開高健にもいえることですが、若いときに戦争という現実と対峙してきた作家たちには、やはりある種の傾向があると思います。一般の人にしても、私の母は昭和一桁ですが、やはりその後に生まれた人とは生きる強靭さというか、動じなさというのが傑出しているように思えます。

戦争というのは、予定調和というものはこの世に存在しないということを思い知らされる、最たる現象だといえますよね。自分が描きたい理想は脆く崩壊する、ということが顕在化する。その感覚は、私たちとは次元が異なるものなので、その方たちが紡ぐ文章は、他の世代とは明らかに系統が違うものになるのだと思います。

『砂の女』を自分なりに解説することができたのは、私自身がイタリアで不条理な思いを体験してきたからです。フィレンツェで暮らしていた頃にイタリア語で読んだ『砂の女』は、そのときの自分の心境とぴったりとマッチしました。

ところが、その方向性で読み解くと、若い世代からは「違う気がする」という声も聞こえてきたりする。当然文学は自分が捉えたいように捉えるものですから「こう読みなさい」と強いる筋合いはないですが、やはりそれぞれが自分の経験値に即した範囲のなかで留めておきたい、という考えからなかなか抜け出せない。

すると、安部公房の作品がどんなに強いメッセージ性を持っていても、それが伝わることはありません。共有できる価値観と経験値が伴わなければ仕方がないことですが、今を生きるうえでもたくさんの栄養となるはずの文学なのに、もったいないという気持ちがないわけではありません。

その情報、フェイクか本物か

豊田　ヤマザキさんがイタリアにいらした頃、私はウクライナのキーウに行ったことがあるんです。

旧ソ連が崩壊する2年前のことだったので、89年のことですね。キーウで作家同盟の方々と話をしたのですが、そのときに最初に聞かれたのが「お前たちは西側から来たのだから、本当のことを知っているはずだ。チェルノブイリ原発事故の真相を教えてくれ」と。だから、いちおうは私の知っていることを話しました。

その後、現地の作家同盟の方々があちこち案内してくれて、最後になんの特徴もないような丘の上に行ったんです。

「なぜ、こんなところに連れてきたのかな?」と思っていたのですが、そこにはもともと修道院があったけれど、スターリンが爆破し、その跡だけが残っている場所だ、と。丘の麓(ふもと)には、小さなチャペルもありました。そこは次に爆破する予定だったけれど、スターリンが死んだことにより命令がくだされなかったので、そのまま残っているのだ、と教えられました。

ヤマザキ　社会主義国でそうした話をする際は、どこかに秘密警察がいないか確認するなど、言葉を選ばなければいけないということがありますよね。

私は〝明るい社会主義国〟といわれるキューバでサトウキビ刈りのボランティアをしていたことがありますが、暮らしている人々は何か大切なことを口にする際はすごく周囲を気にしていたのを覚えています。どこで誰が聞いているのかわからない。自分の国の外側を含め、もっといろいろなことを知りたいけれど、友達面をしている隣人ももしかしたら政府のスパイかもしれない、という疑念が人々のなかにありました。当時のウクライナもそんな感じだったのかもしれませんね。

豊田　耳にした情報を鵜呑み（うの）にしてはいけない、フェイクなのか、本物なのか、見分けなければいけない、ということなのだと思います。

私は韓国を頻繁に訪れるようになりもう半世紀になりますが、はじめは邪馬台国をテーマとしたタイムトラベルSFを書くためでした。中国の魏（ぎ）の使節は、朝鮮半島の黄海（こうかい）側を南下して、倭（わ）（日本）へ来たわけですから、北朝鮮は無理としても、同時代の韓国の遺跡などを取材してこようと思い立ったのがきっかけです。

しかし、取材目的の遺跡ばかりでなく、料理やら車やら音楽やら、韓国のいろいろなものが目に入ります。どうも日本で報道されていることは違うのではないかと気づいた。私が韓国に目覚めたきっかけも、まさにそうした理由からでした。

韓国語を習い出した70年代に、初めて韓国を訪れたのですが、そこで知り合った人々と一緒にご飯を食べに行ったんです。彼らは日本語を話せる世代だったのですが、突然、日本語で朴正熙(パクチョンヒ)政権の罵倒を始めたのには驚きました。日本で新聞を読む限り、朴政権は独裁政権のように感じていたので、悪口を言うなんてとうてい許されないことだと思っていたからです。日本で報道される韓国と実際の姿は違うのではないか、と考えるようになったのもそのときです。

そこからのめり込むようになり、だんだん韓国という国自体が面白い、と思うようになりました。

70年代、日本は多くの分野で、左翼に乗っ取られたような状態にありました。マスコミは、ソ連、中国、北朝鮮に甘く、アメリカ、日本、韓国などには厳しかった。社会主義は市場を争わないから戦争をしないと規定し、アメリカなどを戦争勢力と断定している始末。マスコミのほとんどが、左翼のいわゆる進歩的文化人の支配下にあり、東京、京都、横浜など多くの主要自治体で、革新首長が誕生していました。明日にもプロレタリア革命が起こりかねない雰囲気が満ちあふれ、その期待と恐怖が日本列島を覆っているという時代相でした。

どうにか持ちこたえたのは、保守政党がかろうじて勢力を保ったのと、産業界が度重なるストにもめげず、左翼に同調しなかったせいでしょう。学界など、左翼思想に自虐史観が加わった、奇妙な状態でした。その後遺症は今も残っていて、中国の軍事研究には協力するが、日本の防衛研究は拒否するという某学術会議のとんでもない姿勢が今になって明らかにされ、多くの日本人が驚かされました。

ヤマザキ 角度を変えて見ることの必然は、ロシアとウクライナの戦争報道を目にしても感じることです。人々は情報のその裾野まで憶測することなどしません。それぞれの国や報道にとって都合のいい情報を鵜呑みにするか、自分たちの思い込みたいようにしか受け止めない。想像力がそういう方向に駆使されていないもどかしさを、日本にいると強く感じます。古代ローマ時代の軍人、ガイウス・ユリウス・カエサルの「人は自分の見たいものしか見ない」という言葉を思い出しますが、この傾向が太古の昔から普遍的なものであることはわかるんですけどね。

私は、イタリアで暮らしていた10代の頃から、新聞によってどこの政党寄りかが異なるのだから、記事を読んだところで本当のことかどうかはわからない、情報なんていうものは真実に人々の手が何層にも加わっているのだから、伝えられていることをそのまま信じるものではない、と言われていました。

新聞に限らず、テレビのニュースで取り上げられたテーマについても、必ず家族と議論をします。「この番組ではこんなことを言っているけれど、実際は違うはずだ」といった会話は日常茶飯事です。

ニュースや新聞は議論のきっかけであって、事実を伝えるメディアではないという考えが普通に浸透している。新聞記事に目を通していても、テレビの報道を見ていても、「お前、これどう思う?」「あり得ないよね」「これだけ死者が出たと書かれているということは、実際はこの10倍はいるだろうね」といった話を交わすのは至極当たり前のことでした。共産党がバックグラウンドの報道もあれば、キリスト教民主党がバックグラウンドの報道もある。ファシスト系の新聞もある。それを買ってきて並べて読むと、伝えていることはみなそれぞれ違う。その差異は日本よりも顕著です。

そして並べて読んだなかで、その差異から、私たちは自分たちの思想を持たなければいけない、ということをイタリアに渡った当初から言われていました。ちなみに戦争のトラウマをしょって生きていた母も、私が子供の頃から新聞を広げては「こんなのでっちあげだわ」などと呟いていたので、「新聞というのはこうして読むのだな」

と思っていました。

イタリアと関わりをもったことで一番私にとって改革的だったのは、疑念を持つ、猜疑心を抱くという心理でした。疑念は信じることよりよほどエネルギーのいることですし、面倒ではありますが、それができなければイタリアのような社会では生き延びていけない。「お前は表面的なことだけですべてを知ったつもりになって、その真意を知ろうという努力もせずに、絵描きを目指しているのか」と、高齢の表現者たちに嘲笑（あざわら）われていました。絵を学ぶ前段階として、物事を疑って見ることを叩き込まれたのです。

たとえば2022年7月に、安倍晋三元首相が銃で撃たれ殺害された事件がありましたが、あのような大きな出来事がイタリアで起こったとしたら、その瞬間から民衆の疑念スイッチが入り、長期にわたって議論されることになるでしょう。実際、あのような狙撃事件はイタリアでも何度もあったことですが、何かの話の折にそういった過去の事例が出てくるのは日常茶飯事です。

報道を鵜呑みにはしない、自分の頭で考えようとする習慣が一人一人に浸透している。日本では、戦後にはあったはずのそうした考察に対するエネルギッシュな側面が、今ではすっかり萎縮してしまったように思います。というか、萎縮させないとやっていけない社会になったというほうが正しいかもしれません。

フィールドワークに勝るものはない

豊田 『東大出てもバカはバカ』(2020年、飛鳥新社)という本で、日本の受験制度の弊害について書きましたが、私自身にも「(暗記問題中心の)受験勉強に溺(おぼ)れて人生を誤った」という自覚があるんです。受験というのは、特に私の頃は、基本的に虚仮(こけ)の一念(いちねん)を貫くことで成り立っています。しかも、自分で考える必要はない。どこかの偉い先生が考えたことを、ひたすら丸暗記するだけですから、創造性、独創性など育つわけがない。私はそれで失敗したわけですが、人生って面白いもので、おかげで別な人生が開けた。SF小説のコンテストに入賞したものの、それだけでは食べられない。折しもアニメが急成長していく時代で、その世界で日本初のオリジナル脚本家として生きていくようになり、『エイトマン』や『鉄腕アトム』などを手がけました。

あとでTBSのディレクターから聞かされましたが、プロのシナリオライターに頼んでも、誰一人として引き受けてくれなかったそうです。なかには漫画の仕事などできるか、馬鹿にするなと、怒る人もいたそうです。そんなわけで、学生アルバイトみたいな形でこっちにお鉢が回ってきて、ディレクターからシナリオの書き方まで泥縄(どろなわ)で教えてもらった。そうしてアニメの脚本家の第一号ということになりました。アニメという言葉すらない時代です。受験のときはひたすら丸暗記バカに徹していたわけですが、作家になってから頭が良くなったと思う。いろいろな資料を引き比べて読むようになったからです。

そのあたりの事情も、『東大出てもバカはバカ』という本で、触れておきました。

ヤマザキ　読みました、面白い本でした。

アメリカのハーバード大学やシカゴ大学にもいえることですが、俗に頭が良いといわれている人たちのなかには、世間に最高学府だと認められている教育機関の出自である自分たちが言うのだから間違っていない、という自負に洗脳されてしまっている人もいますね。勉強ができるからといって、頭がいいとは限らない。お勉強のできるバカ、という言い方は失礼ですけれど、発想や思考にフレキシビリティのない人というのでしょうか。マニュアル通りのことをきちんとやればそれでいいんだ、想像力よりもこれまで得てきた知識を信じて動けばいい、という思念にしがみついているような人、少なくないです。

豊田 けっこういますね。もちろん、スポーツに熱中しながら勉強も頑張っているような、人間としての幅が広い人もいますけれど。

ヤマザキ 学術に限らず、音楽の世界でも、漫画の世界でも、視野を狭め一つのことだけにずっと向き合っていると、いざというときに応用が利かない、機転が利かないと思うことがあります。

時々、私がテレビ番組に出演する際は学者や専門家の方々とご一緒することがあります。彼らからすると、「こんなところに専門家ではない人間、しかも想像力がベースの漫画家がしゃしゃり出てきて何がわかるのか」と思われているような気がすることがあります。無論、被害妄想もあるのはわかっていますし、みんながそういう態度を取るわけではありません。でもSNSなどではそういう書き込みをよく目にします。実際に目で見て得た知見を伝えても、その方にとってはとうてい受け入れられることではなく、私が意見を口にした瞬間、相手の表情が強張り、全否定され、「私は今、地雷を踏んでしまった」と思うこともあります。彼らの理論はしっかりとした研究の裏付けに想像力が加わった説得力のあるものですし、私も漫画家でありながらも、そういった彼らの論文には常に世話になっています。だからといって、漫画というエンタメを生業（なりわい）としているというレッテルを貼られ、色眼鏡をかけて見られることには違和感があります。

　私はアカデミアにいた頃は絵画に必要なあらゆるコンテンツを学びましたし、美術史も学んでいたので、そこそこの知識はあるという自負があります。生物学者ではありませんが、子供の頃から昆虫が好きなのでアマゾンまで昆虫採集に出向いたこともありますし、その際には、比較文化人類学を学んでいるわけではなくても、そこで暮らす少数民族の人々とも触れ合い、民族性の差異からさまざまなことを習得することができました。

　分野を横断しながら多くの経験を積んできたつもりですが、「漫画家の仕事をしている」というだけで、どことなく差別視されているような気がしてまう。

豊田　そう思うことは、私もよくあります。一度、古代史の専門家に「聖徳太子は飛鳥時代に百済や高句麗から渡来した僧から仏教を学んだそうですが、いったい何語で教わったんでしょうね」と聞いてみたら、その方は言葉に詰まってしまった。私たちは小説家だから、そうしたことをよく考えるんでしょうね。

ヤマザキ 立ち位置としては、私も豊田さんと同じです。SF作家の方や、私のように歴史に特化した漫画を描いている人間は、どれだけ想像力旺盛でいられるかを問われています。小松左京さんはSF作家の大家といわれていますが、彼は大学ではイタリア文学、しかも私の敬愛するシチリアの作家ピランデルロが卒業論文でしたし、ヴィオラを弾かれ、漫画も描いていらっしゃった。そのうえ科学的知識も持っていらっしゃるというダ・ヴィンチみたいな人だったと思うのですが、作家で、しかもSFというジャンルとの関わりがあるというだけで、「空想が生業」という浅はかな解釈をされてしまうところがあったのではないかと思います。

正直、私たちは学術関係者以上に幅広いフィールドワークを行っている可能性もありますし、実際手塚治虫さんや萩尾望都さんなどを例に挙げても、彼らの知識と見聞、何より学術に対しての積極的な姿勢はしなやかです。学術を軸にさまざまな憶測や推察が想像の力を借りて大きく発達していく。それができない人は物語を作り上げることはできませんから。

知り合いの歴史学者の方から「ヤマザキさんはなんでも自分の好きなことを自由に表現できて羨ましい。私も、退職する前にやりたい放題の論文を書いて辞めるんだ」なんて言われたこともありますけれど、少し残念な気持ちになりました。漫画一本描くのにどれだけの調べごとをしているのか、想像がつかないのだなあと。

豊田　「でたらめなことを書いてお金をもらえるのは、いいよね」といった類（たぐい）のことは私もよく言われますよ。

私はSF小説家でもあるので、拳銃を撃つシーンを描くこともあるのですが、一度「描写がおかしい」と読者に指摘されたことがありました。そこで悔しくなり、ロサンゼルスにある銃のトレーニングセンターに通い、ピストルとライフルの撃ち方を教えてもらったことがあります。お陰で、小説でもより細かく描写できるようになったのですが、そのときのアメリカ人インストラクターが笑いながらこう言っていましたよ。

「日本のポリスマンよりも、アメリカのハウスワイフのほうが、はるかに銃を撃つのがうまいよ」と。

ヤマザキ　説得力がある（笑）。彼女たちは「銃社会だということは、自分たちが銃を手にしなければいけない日がやってくるのかもしれない」と常にシミュレーションをしている。イメージし、メンタルトレーニングを行うだけでも、違うと思います。「拳銃を手渡されたときに、自分ならどう構えるのか」ということをおそらく映画を観ているときですら、シミュレーションしているはずです。日本人が同じ映画を観て、「これは他の国で起こっている話だ」となんとなく考えるのとはわけが違うと思います。

豊田　日本では、もっぱらアメリカの銃社会を非難する論調が多いのですが、もともと市民が自衛するのは権利なんです。日本は秀吉の刀狩り以来の伝統で、市民が自衛する権利を国家に委嘱している。ところが、アメリカは歴史が違います。英語でBuckskins（バックスキンズ）と大文字から書くと、独立戦争の当時のアメリカ軍という意味なんです。軍服なんてないから、みんな鹿革の上着を着ている。イギリスと戦う以前に、銃で鹿を殺して、その肉を食って革を防寒具にしないと、生きていけなかった。銃が生産手段としても必需品だったわけです。その伝統があるから、多くのアメリカ人が銃を手放そうとしないんです。

　人が一度も聞いたことのないようなデタラメを書くのは、それはそれで徹底したリサーチと想像力が必要なので、私もできる限りのことはしているつもりですが、「いい加減なことを書いて、お金をもらっている」と思われている節がありますね。それでも、アメリカの銃社会を調べたうえで書いています。

日本の文化は無防備だ

ヤマザキ　もちろん、多くの場合、事実をベースに憶測を広げていくわけですが、そもそも表現というもの自体が、そうした「自由」とともにあるもの。同時に、読み手の立場に立てば、想像力をフレキシブルに広げ、表現されているものに対し疑念を抱く自由もあるわけです。

「疑念を持つ」こと自体、本来とてもエネルギーがいることです。私はかつて中東シリアのダマスカスで暮らしていたこともありますが、アラブ諸国では『アラビアンナイト』のような文学作品からもわかるように、簡単には人を信じません。中東だけではなく、文明が古くから発達した地域の特徴といえますね、地中海沿岸の地域では少なくとも人をそう簡単に信じることはありません。騙されて泣いても「信じたお前が悪い」と言われるのがオチです。

ところが日本だと、「信じる」という言葉が美徳として捉えられています。「信じています」という言葉は、一見精神性があふれ、素晴らしい姿勢を示しているように聞こえますが、相手に判断と責任を丸投げしているも同然です。と同時に信用というのは、考えることを放棄した人間の統治には持ってこいの手段でもあるわけです。「信じる」ということほど、怠惰かつ危険な行為はないことを、私は自分のこれまでの生活のなかで散々痛い思いをしながら学んできました。

豊田 そうした意味でも、日本の文化はどこか〝無防備〟ですよね。島国で孤立した歴史だったから、みな同じ日本人という意識が強いからでしょう。単一民族という語弊があるので、私は均質性の高い(homogeneous)社会だからと、表現しています。明治維新の戊辰(ぼしん)戦争では、数千人しか死んでいない。同じ日本人という文化だから、帰順してきた敵を虐殺するようなことはない。ほぼ同時代のアメリカの南北戦争では、60万人が戦死しています。明治期に日本を周遊したイザベラ・バードは、鍵がなくても安全な日本に驚いています。こういう国に住んでいれば、どうしても無防備になります。

ヤマザキ　そうですね、無防備だと思います。信仰や信用にぶら下がることを推奨しているこの社会では、予想もしない方向から突かれたときに、砂上の楼閣のごとく崩れ落ちてしまうのではないか、と思うような危機感をさまざまな局面で感じます。

豊田さんは戦争をはじめこれまでに実に多くの経験をされていますが、私たち50代はバブルを経験し、一時期は「未来は良いことしか起こらない」と信じて疑わなかった人たちもいました。ところが、リーマンショックを経験し、東日本大震災を経験し、そして近年はパンデミックに襲われた。今は、ロシアとウクライナの戦争も目の当たりにしています。

こうした現実とちゃんと向き合わなければいけない、と考えたときに、はたして自分たちにその問題点と対峙できるだけの免疫力がついているのだろうか、ということを考えます。

私は豊田さんのように戦争は経験していませんが、家族と暮らしたことのあるシリアでは訪れた場所が完全に壊滅してしまったところもあるし、知り合いや友人はみな連絡がつかなくなってしまいました。よく知っている場所が瓦礫の山と化した写真を見たときは、それなりにショックでした。

しかも滞在中にはうちの近所にあった、確か国連関係の事務所の入ったビルがテロの標的となって爆破され、数名の死傷者が出ました。私は人生で初めて巨大な爆弾が爆発する音と、銃撃戦が交わされる破裂音を耳にしましたが、花火かと思ったらそうではなく、周りがみんなパニックになっている。外務省から国外退去勧告が出たので、私たち家族は慌ててイタリアへもどりました。

こうした経験から「戦争」というもの自体を想像し、その後の姿をシミュレーションすることはできるという自負があります。ニュースなどではなかなか報道されない世界情勢に関する情報も踏み込んだところまで調べていくと、不安材料は山のように出てきます。もし、日本と近隣の国が戦争になったらまずどうすればいいか考えることもしょっちゅうあります。けれど、日本はいかんせん平和すぎて、それはそれでいいことなんですけど、ちょっと危機感が足りないんじゃないかと感じることが多々あります。日常の、身の回りの瑣末な事象に対し、自分たちの思い通りにならないことにごちゃごちゃ不平不満を述べることはあっても、もっと深刻な方向へ想像力を働かせている人はそれほどいない。まあ仕方がないといえばそれまでなんですけどね。平和ボケというか。

豊田　私のように、ひと昔前から生きている人間からしてみると、戦争体験のある世代の人々は「骨」や「芯（しん）」みたいなものがあった気がするんです。けれど、その後は結局、流れに任せてしまっているから、どこか逞（たくま）しさのようなものが日本全体になくなっていますよね。

ヤマザキ　私たちを統括している社会そのものが、民衆から疑念を抱く知性や逞しい想像力をどんどん奪っていこうとしている。そんな傾向があるようにも思います。

「戦争」を引き起こすもの

ヤマザキ　そもそも、宗教や社会体制が国によってそれぞれ違ったところで、方向性の違う倫理性を共有できてさえいれば、戦争もそう簡単には勃発しないんじゃないかと思うのです。自分たちの倫理が相手には通じなくても、どちらが正しいとか間違っているとか、そういうことではないという認識さえあれば、なにも凶暴な干渉という手段を選ばずとも、もっと平和なネゴシエーションが成立するはずなんじゃないかと。

米国とイラクの戦争にしても、ウクライナとロシアの戦争にしても、何がしかの利権をめぐるうえで発生したものだとしても、お互いの社会における倫理を理解し合えない頑固さが根底にあることが、一番の問題点なのではないかという気がしています。自分が帰属するグループ以外のものは認めない、徹底した拒絶感の正体とはいったいなんなのかと考えてみると、人間という群生生物の帰属の基軸にあるのは、ハチや羊のような本能的なものよりも、もはや思想や思念のような精神的な領域のものともいえますね。

豊田　宗教や民族や国籍。人々の争いの種となっているものは大昔からまったく変わっていないですね。前にも言いましたが、日本は均質性の高い国だから、違う価値観を強制されるという歴史を経験してこなかった。そのため、無防備なくらい、外国が好きです。外国好き（Xenophilie（ゼノフィリー））といいますが、無警戒に受け入れる。仏教が入ってきたときだって、最初は大唐（だいとう）の神と呼ばれて、抵抗がなかった。神様が一柱（ひとはしら）だけ増えたくらいにしか、思わなかったのです。別な宗教だとは考えない。後に、聖徳太子まで巻き込んで日本最初の宗教戦争に発展しますが、二大豪族の一方の蘇我氏が仏教派だったため、対する物部（もののべ）氏が反発したということです。

敏達天皇の崩御の後、蘇我馬子は三宝（仏教）支持を訴えます。一方、物部守屋は、国つ神に背いて、他し神（仏）を信じるなと主張する。そこへ、守屋が次期天皇候補として担いでいる穴穂部皇子が、豊国（九州北西部）の法師を連れてやってきた。守屋は、皇子をにらみつけて怒ったとあります。つまり、守屋陣営も反仏教で足並みが揃っていたわけではない。二大豪族の勢力争いが戦いの原因で、仏教うんぬんは、あくまで付け足しです。

この後、蘇我馬子は、炊屋媛（のちの推古女帝）と謀って、奇襲部隊を組織して、穴穂部皇子らを暗殺してしまう。馬子の陣営には、聖徳太子をはじめ多くの皇族が加わっているのに対して、守屋側は、いわば手駒として担いだ天皇候補を奪われて正統性を失ってしまうのです。つまり、宗教戦争に敗れたわけではない。

日本人は新しもの好き（Neophilie）、外国好き（Xenophilie）ですが、一応のフィルターはあります。あれほど唐文化に染まっていても、宦官、科挙、纏足などは、日本では根づかなかった。仏教にしても、やがて日本古来の神道と習合してしまう。このあたり、無防備ななりに、日本人の知恵なのでしょう。

この点、お隣の韓国・朝鮮は、まったく対応が違います。儒教など、本家の中国より熱心に採用していますし、科挙、宦官なども導入しています。しかも、宗教に関しては、激烈といっていい。『三国史記（サムグクサギ）』という歴史書を見ると、新羅本紀では、神宮という単語がしばしば登場します。王様が、神宮に参拝したという記事が何度も出てくるから、いわば国教だった。日本と同じような神道だったんです。そこで、仏教が入ってくると弾圧する。法興王（ポプンワン）は仏教徒を処刑しますが、異次頓（イチャトン）という僧侶の首を斬らせたところ、白い血が噴出したため、王は奇跡に感じいって、以後は仏教に帰依するようになったという伝説があります。以後、新羅では、仏教が国教化されると、新羅の皇竜寺（ファンニョンサ）に東洋最大の九重の塔を建てたりして、神道をなくしてしまう。さらに、次の高麗王朝は仏教に帰依しすぎて、国中の田畑を寺院に寄進してしまい、国家財政さえ破綻させてしまった。そこで、その次の朝鮮王朝（李朝）は、今度は仏教を弾圧する。儒教を国教の地位に置きます。仏教寺院は、深山幽谷にある限り、いちおう認める。

韓国の人は日本へやってくると、都会の真ん中に仏教寺院がのさばっているように感じて、びっくりする。その儒教が、現在は危機に瀕（ひん）しています。父母双方の4代前までの先祖の祭祀（チェサ）を盛大に行わなければならないから、この少子化の時代に、長男と家族は、時間的にも財政的にも大変です。そこで、儒教をやめてしまい、キリスト教に改宗する人が多い。今、韓国最大の宗教は、改新教（ケーシンギョ）（プロテスタント）、天主教（チョンジュギョ）（カトリック）合わせて、基督教（キドッキョ）（キリスト教）です。

　私はもともと韓国・朝鮮、中国など東アジアの歴史、文化などを学んできたのですが、隣の韓国ですらなんでも大違い。ひと頃、左翼系の文化人がアラブ・アフリカ人民との連帯などと、気安くスローガンを唱えていましたが、歴史も文化も宗教も、そもそも基層（サブストレータム）（Substratum）からして異なる人々とどうやって連帯するのか、大変疑問に思ったものでした。

ヤマザキ　まさにそうです。地球という惑星を俯瞰（ふかん）してみると、人間なんてのはみな、大気圏に生息するその他の生物と同様の生命体にすぎない。けれど、ホモサピエンスはそのなかで本能とは違う種類の分類を築き上げ、境界線を作っていった。

　ここで地政学のような学問がとても大事になってくると思うのですが、日本のような島国は、大陸からの文化や宗教、政治力の介入を阻止することができたため、日本人ならではの、調和を重視するメンタリティというものができあがった。対し、イタリア半島のような半分島で半分大陸、しかも地中海という文明の交差点に位置するような場所では、またそうした条件に適した特有のメンタリティが発生するわけです。地域性から生まれる民族性は確実にあると思うので、世界の誰もが共通の価値観や意識を持つことはあり得ないでしょうし、何も統一などしなくたっていいと思うのです。

地球がこのような惑星である限り、人類の生き方に差異がたくさん生まれてしまうのは自然の摂理だといえます。それをみんな認識したうえで、だけどお互い干渉などし合わない平和な世界を作りましょう、なんてことを言葉で言うのは簡単です。けれど、この世の人類がすべて悟りを開いた釈迦レベルの人間にでもならない限り、実質的に無理なことだと私は思うのです。人間っていうのは、私たちが思い込んでいるほど高尚な生物ではありませんから。

私は古代ローマを研究してきたので、その観点からお話しすると、古代ローマが発展した理由は、異なる文化や習慣、そして倫理観を持つ他者に対し、それを払拭したり否定するよりも、プラスアルファとしてローマ的なものも受け入れてくださいと歩み寄ることから始めたことが大きいと思います。帝政期のローマには、クレメンティア（寛容）というモットーがありました。他者や異文化を認める精神性がなければ、国として広がっていけなかったでしょう。ローマは、自分たちとは価値観や宗教的倫理が違う人々に対して、自分たちの色に染まるようにといった強制はしていませんでした。

ローマは属州を増やすとその地に浴場を造ります。もちろん風呂だけではありません。道路、水道、橋、劇場。生きることを楽にしてくれるようなテクノロジーを提供された相手はもちろん誰だって喜ぶわけですよ。私たちだって、相手が自分たちの国にはない素晴らしい技術やエンタメなど豊かな文化的リソースを提示してきたら断りにくいと思います。実際、戦後のアメリカと日本の関係性にも同質のものがありましたからね。

ローマの場合、そんななかでも浴場という、人生を長引かせてくれる施設を盾にすることが効果的だというのを知っていたわけです。浴場外交とでもいうべきでしょうか。これにより、ローマの領地はどんどん広がっていくわけです。中東の砂漠のど真ん中の都市にすらローマ式浴場の痕跡があると、心底から関心してしまいます。

相手を踏み倒すのではなく、相手の文化や政治の形態にも理解を示しながら、「あなたたちの価値観はよくわかりました。だから、ローマの法律も一度受け入れてみてください」と、ソフトランディングな形で相手を取り込んでいったのだと思います。

もちろんいざというときには、そうした奉仕を与えた国には味方についてもらうわけですが。

豊田　そこは、中国も似ています。もともと漢民族は、いわゆる中原（ちゅうげん）の地にわずかしかいなかった。春秋戦国時代、周（しゅう）王朝の都があった河南省、黄河の中流域が中心です。呉越同舟という諺（ことわざ）で有名な越（えつ）の国なんか、閩越（びんえつ）と呼ばれる異民族で、虫の字が入っているくらいだから、はじめは野蛮人扱いだった。やがて周囲の異民族が漢文化に同化してくる。越の国なんか、いつの間にか漢民族の一部になっている。軍事力の影響もないわけではないのですが、むしろ先方が漢字をはじめ漢文化を進んで導入しようとする。ローマ文明でいえば、属州（プロビンキア）のような状態でしょう。

やがて中国の周囲の異民族は、東夷（とうい）、西戎（せいじゅう）、南蛮（なんばん）、北狄（ほくてき）と呼ばれ、すべて野蛮人扱いになります。日本人は、このうちの東夷に分類されます。中華思想、華夷（かい）秩序が成立する。これが人種差別かというと、そうではない。中華文化に習熟した人が華であって、そうでない人は夷ということになる。その証拠に、日本人の阿倍仲麻呂も、イタリア人のマルコ・ポーロも、中国で高い地位を与えられています。民族、国籍は、関係ないのです。

「慕」という字に「夏」と書いて、「慕夏（ボカ）」という言葉はご存知ですか？「夏」は「華」と書く場合もありますが、いずれにせよ中国を意味しています。周りの民族を力づくでなんとかしようとするのではなく、「中華文明圏を取り入れるとこんなにもいいことがあるんだ」と、緩やかにアプローチをしていく。「夏」を慕ってくれ、ということですね。「文字」や「青銅」「お金」があれば、こんなにもいいことがあるんだ、と。慕華した結果、周囲の異民族がやってくる。唐の長安など、5階建てのホテルがあったり、ブロンドのシルクロード系の美女がいるキャバレーがあったり。人口100万という国際都市でした。

頭を使い、他者を認めながら自分たちの価値を広めていく。それこそ、今の世の中に足りないものだと思います。

第2章

国境を越えるということ

長いものに巻かれるのはなぜ？

ヤマザキ　イタリアでは、テレビで取り上げられたニュースについても必ず家族と議論をするとお話ししましたが、なぜそうした習慣が根づいているのかと改めて考えてみると、イタリアは１６０年前にガリバルディが統一するまではそれぞれが小規模の自治国家であり、過去の歴史的背景が異なっていたということが大きいと思います。さまざまな国の干渉や統治下に置かれ続けていると、まあ植民地にも同じことがいえるかもしれませんが、人々は容易に人や社会を信用することができなくなるものです。イタリアにはいまだに「イタリア人」と言われるのを嫌がる人たちがいます。「トスカーナ人と自分たちベネトの人間は違うから」「それってシチリア人的考え方だね」などといった具合に、見えない境界線があるのを感じます。彼らが予定調和を信じない、猜疑心や懐疑心が旺盛になってしまう理由はそんなところにあります。

家族同士であろうと友人知人であろうと議論は当たり前の光景です。激しい言い争いに見えても当人たちに言わせれば単なるコミュニケーションだったりする。批判する精神性をわざわざ教育を通して習得しなくても、ごくごく自然に身についている。我が家でも議論はしょっちゅうです。イタリア人の夫はよく、「君の考えは間違ってる」などと西洋合理主義的白黒判断で物事を決めつけてくるので、それに対し日本人である私は、「価値観が共有できないだけの話じゃないの、正しい正しくないという判断は稚拙だよ」などと返す。夫はむっとしますが、国際結婚ではよくある議論だと思います。

豊田　私が授業を受け持っていた大学でも近年はディベートのプログラムがあり、たとえば片方の学生が3分間話したらもう片方の学生も3分間話す、といったように実践していたのですが、日本人はダメですね。中国人や韓国人のほうが強引なくらい発言する習慣がついていて、上手だなと思います。

ヤマザキ　日本の人はディベートや論議に向いていないんじゃないかと思います。島国は調和重視のメンタリティが優先的に育まれていく。お互い違和感があるから別な場所に移り住むといったところで、土地がありませんから。逆に大陸のように地面で繋がっている国に住む人たちには、土地を侵略したりされたりの繰り返しが太古から行われているわけですから、調和よりも卓越したリーダーが必要とされるようになる。

その違いは諸々の宗教を比較してみればわかりやすいですね。キリストやマホメットのような統括力を持ったリーダーの君臨する宗教と、片や八百万（やおよろず）の個性豊かな神々の君臨する日本や、ギリシャ・ローマの神たちのいる世界とでは、人間の物事の考え方や生き方が違ってきても当たり前でしょうね。

そもそもそうした宗教も、それが発生した地域に適応したコンテンツを盛り込んだ形として象（かたど）られたもの。リーダー的存在を人間のなかに必要としている欧米と違って、日本はまずは人間はブレない群れ社会の形成が必至だったということなんじゃないでしょうか。日本では、やはり無難に長いものに巻かれていくほうが、生活は保障される。出る杭を打つほうが、安寧でいられる。諸外国と対比してみると、そんな精神性が国民性として根づいているのだというように思います。

議論を熟成させるには

豊田　韓国人や中国人を見習えとは言いませんが、彼らはたとえ一家言がなくても、まずは何かしら言葉を発してみようとしますよね。それによって、まとまる話がまとまらないこともありますけれど。

ヤマザキ イタリアの人達にも共通していえると思いますが、あえてまとまらないようにしているのだと思います。そうしないと多角的に掘り下げていけないですし、議論が熟成していかないので。モヤシからバナナ、柳からバオバブの木まで育てられるような〝良い土壌〟を作るうえで、「ディベート」と「カンバセーション」は欠かせないと思います。私も17歳でイタリアに行っていなければ、このような考えにはなっていなかったと思いますけれど。

大学を卒業するにしても、人前で仕事をするにしても、スピーチ力がない人は、ああいった国では生き延びられません。ところがそのノリで日本で暮らしていると圧が強いだの、鼻息が荒いだの、いろいろなことを言われます。ちなみに私が子供の頃のあだ名は、鼻息の荒さを反映してなのか〝馬子〟でした(笑)。

豊田 ただ、日本にまったく議論がないかというと、そういうわけでもない。そこが面白いところだと思います。日本人同士のやりとりであれば、恐る恐る「おっしゃる通りだと思いますが」というひと言から始め、少しずつ自分の考えのほうへ引っ張っていく傾向もありますよね。

ヤマザキ　確かにそうですねえ。面白いですね、それは。日本の人は基本的に喧嘩や論議を嫌うところがあるからでしょう。心の中では「違う」と思っていても、まずは「おっしゃる通りだと思いますが」というひと言から始めてみる、という塩梅なんでしょうかね。日本ではこういう対応をする人が目立ちます。

豊田　たとえ、心のなかで「その通り」なんて思っていなくてもね。

ヤマザキ　昨年、自分が出演したテレビ番組を見返していて気がついたことがありました。先ほどもお話しした『100分de名著』というNHKの番組ですが、「ちょっと違うと思う」と意見されている司会の伊集院光さんを前に、私は「確かに、おっしゃることはごもっとも」と一度肯定したうえで自分の言いたい言葉をうまい具合に乗せて返しているわけです。「ごもっともだし、それも踏まえたうえで言わせていただくと」なんていう具合です。我ながらずいぶんと日本人らしい受け答えをしているなと感じましたが、私もやはり基軸は日本人ですから、気を使っていたのでしょう。イタリアにいる層のように頭ごなしに「それは間違っている」と否定することはなかなかできません。

とはいえ、何もかも受け入れて終わるわけではありません。海外では、こんな日本式の会話の仕方ではどんな分野であっても生き残れませんし、周りから踏み潰されてしまいます。学校でも家庭でも、とにかく自己主張ができない人間は生き残れません。私もだてに何十年も海外生活を送ってきているわけではありませんから、言うときには言わせてもらいます。そう考えると、日本人は日本人で、西洋式のディベート力を身につければ、西洋とはまた違う論議の場を展開することが可能になるかもしれない。イタリア人同士の論議のようにその場を刺々しく荒らすことなく、穏やかに土壌を耕していくことも可能かもしれない。日本人ならではの性質を論議という価値にうまく取り込めば、意外にこれはこれで有力なツールとなりそうです。

ただ、その段階に行き着く前に、日本人は「出る杭を打つ」ことに注力してしまう。その性質が残り続けていく限り、巧みなディベートを展開できるような人材は発生してくることはないでしょう。

豊田 まさに日本人は自己顕示欲のようなものを顕にすると、「出る杭は打たれる」で潰されてしまいますね。ですから、なるべく出ようとはしなくなります。

たとえば以前、私は邪馬台国のシンポジウムの司会をして呆れたことがあります。

邪馬台国には九州説と大和説があります。シンポジウムの前夜、打ち合わせを兼ねた会食では、双方の先生がビールを飲んでいたせいか、自分の説を主張し始め、「あんた、それは間違いだ」と言うと、「そんなことはない」と非常に激昂してそれぞれ根拠を言い合っていたため、「明日は面白くなるな」と期待しました。

ところが、翌日のシンポジウムになったら、自分の説を話すだけで、まったく反論しない。私が「今、この点に関して何々先生はこうおっしゃったけれども、反論いただけますか」と聞きます。そうすると、先ほどの「おっしゃる通りですが」の話にも繋がりますが、「その通りだとは思いますが」というようなことを言い、自分の説をもう一回繰り返すだけです。

あんまりなので、私は司会者として、柔道の試合などで審判がするゼスチャを交えて、「双方に教育的指導を差し上げます」と言ったのですよ。聴衆は面白がってくれましたが、先生方は嫌な顔をしていました。

相手を肯定したふりをしながら徐々に自分の意見を出していくのが日本式のディベートですが、国際的には通用しません。

自分の頭で考えられる人、考えられない人

豊田　私は、新聞の社会面などで「男性が好意を寄せる女性に突然襲いかかった」という類のニュースを見ると、不思議に思うのです。真正面から口説けばいいのに、なぜ言葉を使い、向き合おうとしないのだろう、と。

ヤマザキ　言えないのでしょうね。言葉に自信が持てない。大きな見方をすれば、弁証法が根づいていないことにも繋がると思います。それに加えて拒絶されることへの恐怖心もあるんじゃないですかね。

日本の従来の教育では、考えの言語化というのはそれほど重要ではなかったと思うのです。「あ・うん」で社会が成り立っていたことは、落語などを聞いてもよくわかります。明治維新以降、政治や教育に西洋化が取り込まれたあたりから、日本式の調和優先の群生社会から、リーダー的存在を求める傾向が強まってきたはずで、立派な弁証が求められるようになったのもその影響なんじゃないでしょうか。それを考慮すると、日本人にはまだその人前で堂々と考えを言論化する西洋式のスキルが身につい

ていない。身につけなきゃいけないというのではなく、向いてないというべきか。

コロナ禍における各国の首脳たちのスピーチを見ていても、それは如実に感じることです。たとえば、フランスのエマニュエル・マクロン大統領がスピーチをする姿を見ると、用意された紙に目を落とすことなく、表情と手振りを使いながら堂々と話をしています。幼稚園、小学校と幼い頃から人前で自分の意見を言うことに慣れているからこそできることだと思います。

たとえ誇張やその場しのぎの言葉が含まれていたとしても、自分の意見を口にすることがリーダーとなるべき人間に問われる素質です。たくさんいる人々のなかから、結果的に、人前で話すこと、相手の心を掴むことに長(た)けた人間が政治家や首相になるということなのだと思います。

一方、日本では明治維新から西洋化が始まって、たった百数十年です。噺家でもないのに言論の卓越性をあらゆる人々に強いたところで、紀元前から弁証法の教育が浸透してきた西洋と同じようにいかなくて当然です。でも、グローバル化した社会は日本にも西洋式のなりふりを求め続けているわけですが、そんななか、〝表面的な言葉〟をうまく使うことの重要性だけが取り沙汰されていると感じることがあります。

言葉は急に自分のものになるわけではないので、SNSなどで自分が言いたいことを言ってくれている人の言葉をリツイートし、他者の発言をまるで自分の意見であるかのようにすり替えていく。「リツイート」は、自分で考える力を奪っていく行為そのものだと思います。そして、その人がバッシングされれば、同調圧力に呑み込まれ、「じつは自分も変だと思っていた」と、責任転嫁をする。

SNSを見ていて思い出すのは、よくアメリカやブラジルなどのテレビで展開されている、新興宗教の番組です。教祖が現れて、説法を解く。すると、テレビ画面の前にいる不特定多数のさまざまな人間がその言葉に耳を傾け、「ああ、これは私が欲していた言葉」だとか「この人の言うことを信じよう」という人々の同調が、バーチャルな群れを作る。形のない巨大な群れです。SNSでは、自分の考えを言語化した人がインスタントな教祖となり、人々はインスタントな信者となる。そんなふうに私には見えることがあります。

それから、日本でハウツー本といわれるものがなぜこれほどまでに売れるのかを考えると、自分の思想を言語化することなく、「自分ではできないから、他人が考えてまとめたものを拝借すればいい」という考えが根底にあるからだと思います。冒頭の信じることと疑念の話に戻りますが、ここで実践したことが悪い結果になっても、その責任は自分にではなく、ハウツー本に向ければいいわけですからね。あれは酷いインチキ本だった！　と言えばそれで済みますから。出版社はディスられて売り上げが落ちても困るから、執筆者には人々に好かれるような、人々が求めているような内容を依頼するようになるでしょう。書籍の中でもやはり論議の意識は発生しにくいということですね。要するに、表に出て言語を発するスキルのある人材に求められるのは、多くの人が同調できるような発言をできる人に限られていく。

豊田　私もテレビのコメンテーターを依頼され、いくつかの番組に出演したことがありますが、一般の人が望むようなことを話してくれる人間が好まれる傾向にありますね。テレビ局でも専門性の高い番組を作っているところや、いつも丁寧な仕事をする出版社などは、アンテナを張り巡らせて「適材適所」といえる専門家を探してきていたと思いますが、今はメディアの数も多すぎて、一人一人を拾い上げる余裕も時間もないのかもしれないですね。

ヤマザキ　私はコメンテーターの出演するような報道番組は普段まったく見ないのですが、どこかでたまたま目にすると、どちらとも取れないような、日和見的な意見が多すぎるのが気になります。もちろん全員ではありませんが、どこからも突かれないように、塩梅よくしている意見の人も少なくない。自分たちが責められないよう、予防線を張っているのでしょう。それならばコメンテーターの仕事などする必要がないのではないか、とも感じます。

自分の見解を持つコメンテーターはまあ、その意見がどんなクオリティのものであれ、叩かれやすい素材になることは確かです。出る杭を打ちたい民衆には格好のターゲットとなりますから。人前で自分の考えを言語化できる人にはいくつか種類があると思うのですが、調和を崩したいような意識があからさまな人もいます。それはどちらかというと和ませる役割ではなく、人をイライラさせ、炎上することが結果的に利益と捉えるような人たちなのかなとも思います。

イタリアで人が集まる場所に行くと、はっきりいってもう滅茶苦茶です。一人一人が勢いよく話しているけれど、そうやってみな自分の意見を口にしているからこそ、こちらも誰かの言葉にすがるのではなく、自分の判断力に頼るしかなくなるわけです。

相手の言っていることに違和感を感じたら、「なぜ自分はこんなにも相手の意見を受け入れられないのか」と客観的に立ち止まって考えることも、イタリアで訓練されました。激しい論議もそれなりに考えるきっかけを与えてくれる機会だと思えば、なんとか耐えられます。

豊田　当たり障りのないことを述べるだけでは、考えるきっかけにもなりませんね。先ほどの話とも重なりますが、日本人は論戦をする習慣もそのための技術も持ち合わせていないため、ただ相手の〝粗探し〟をするようになる。なので、意見を口にする前段階で、言質を取られることを恐れているんですね。

私はかつて大平正芳内閣のときに政策諮問委員会に呼ばれ、科学技術分野の見地から意見を求められたことがあるのですが、その際、「大平首相は、本当はこんなに自由に話をする人だったんだ」と驚いたことがあります。

彼は、国会答弁などのときに「あ～」「う～」と言う癖があったことから、「アーウー宰相」の異名を取るほどでしたが、本来は読書家であり、博識な人だということがわかりました。言質を取られないという安心感のある場所ではよく話をするけれど、失言が命取りになる場所では安易に言葉を発しないのだと感じました。

日本社会では正面切って「あなたは間違っている」と言う代わりに、失言を引き出したり、失言がないか粗探ししたりするほうに力が注がれているんですね。

言葉狩りが多すぎる

ヤマザキ　テレビ番組に出演するたび、言ってはいけない言葉だらけの言論の制約を感じています。特にここ数年はこうした制約による窮屈さは顕著かもしれません。思ったままのことを言えば、「ヤマザキさん、今の日本でそれは言ってはいけない言葉なんです」と論（さと）され、収録自体が一時的にストップすることも珍しくありません。「そいつがバカでね」というように、自分以外の他者に対して「バカ」という言葉を使うのではなく、「私がバカだったから」と自分に対して使うことも差別用語となってしまうんだそうで（笑）、もうどうしたらいいんだか。

豊田　あっ！　私も、同じ経験をしました。NHKの番組に出演したとき、「バカなことをしてしまった」と言ったら、カメラを止められた。誰かがバカだと言ったわけじゃない。自分のことを言ったつもりなんです。では、どう言い換えればいいのかと訊いてみると、愚かなことと、言い代えてほしいと。どこが違うんですかね（笑）。

ヤマザキ　言語という共有のプログラムは、その数が多いほどその言語を使う民族の感性や表現の自由さや寛大さを表すことになります。そう考えると、私たちは思想そのものを制約されつつある。黄緑色のものを見ても緑と表現しなければならなくなる。本を読め、文字を書けと学校で教育されているのに、大人になって知性と感性の発達を封じ込まれている、そのもっとも顕著な現象がこの言論統制ではないでしょうか。実に恐ろしいことです。

豊田　ひと昔前の日本は、まだいろいろなことを許容できていたと思いますが、今の日本人は変にきちんとしすぎているというかね。

つまらない法律を作り、ちょっとでもそこからはみ出すと敏感に反応しますよね。今ヤマザキさんがおっしゃっていたことは、いってみれば〝言葉狩り〟です。使える言葉自体が少なくなっているのです。江戸落語なんて成立しなくなる。バカどころか、「すけべ爺」なんて差別用語そのものでしょう。だいたい、差別用語の場合は「なんとかに不自由な」と言えば通るらしい。「足の不自由な人」といった具合です。すけべ爺は、「性欲のコントロールに不自由な男のお年寄り」。落語にならない。最近は、屋のつく職業もダメらしい。八百屋は青果店、魚屋は鮮魚店、じゃ、殺し屋は、どうするのか。殺人請負業（笑）。

ヤマザキ　要するに、精神のタフさが推奨されない社会なんですよ。みんな人との接触にびくびくして、ちょっとした些細なことでも人権侵害だと声をあげる。1万ピースのパズルでできているものを、10ピースくらいに作り直されているような感覚ですよ。漫画においても、あれは見せてはダメ、これを見せてもダメ、と描いてはいけないものが多すぎて、読み手の想像力をどんどん萎縮させていっていると思います。

私が描いた『テルマエ・ロマエ』や『オリンピア・キュクロス』のような、古代ローマや古代ギリシャをテーマにした作品では、変な話、股間がボカされる。ヨーロッパの美術館に行けば裸体の彫刻がそのまま飾られていますが、それを見て「いやらしい！」なんて叫んでいる人がいますか？　必要以上に意識したりするから、余計におかしな発想を挑発することになる。

豊田　最近の日本では、語彙の乏しさも感じるところですね。

ヤマザキ　そうですね。時々テレビをつけると、「かわいい」という言葉がやたらと使われていることに危機感を覚えることがあります。

美しい崇高な芸術的作品であっても、それを指して「わぁ、かわいい」と表現する人がいますが、「かわいい」という言葉の本質を、人はもっと使う前に考えたほうがいいと思います。

「かわいい」というのは、褒め言葉の要素というふうに単純に捉えがちですが、あくまでその対象物が自分の理解の範疇にある、自分を喜ばせてくれるもの、という風合いを含んでいるように感じられます。美人は近寄りがたいけれど、かわいい人ならい い、という男性がいるけれど、それもそういうことなんじゃないでしょうかね。対象物が高尚な領域のものだと自分が弾かれてしまう感覚があるけれど、「かわいらしい」というのは上から目線的な感覚というのか。

豊田　何かにつけて「かわいい」と言えば済んでしまう。もっと豊かに表現してみよう、形容してみよう、という意欲さえなくなってしまっているのではないかと感じますね。

ヤマザキ　日本の場合は、言語の新陳代謝のサイクルがどの国よりも速いとも感じます。数年前までの私のように、海外で暮らしていて時々日本に戻ってくる人間にとって、それは強く感じることです。

もう20年ぐらい前のことですけど、久しぶりに帰国し、仕事の関係者と食事をしに行ったとき、そのうちの一人が何かを口に入れたとたん、「これ、ヤバくない」と呟いているのを聞いていて、何か腐ったものでも食べてしまったのかと思ったことがありました。でもそのあとで、「ヤバい」という言葉が「素晴らしい」という賛辞としても使われているのだと知って、驚くよりも焦りました。ほんの少し日本を離れていただけで、母国語の意味合いが変わってしまっているのですから。イタリアもそういう兆候がないとは言いませんが、日本の比ではありませんから。

豊田 ニュアンスを感じる、いい表現といったものが、どんどん死語になってしまっている。確かにそれはあるのかもしれません。

ヤマザキ 私は、古い映画が好きでよく観ているのですが、戦前戦後のイタリアの将校が登場する映画を観ていても、「今とまったく同じ言葉を使っていたのだな」と感じることがあります。喋り方が今より丁寧でこそあれ、まったく違和感がない。

しかし日本の場合、たとえば小津安二郎（1903－1963年）や、彼の時代の作品を観ていると、明らかに今とは違った日本語を使っているのが顕著にわかります。「晩春」でしたか、原節子の父親役の笠智衆（りゅうちしゅう）が、自分の兄に娘のことを話すときに「早く片付くといいのですが」というような言葉を口にするシーンがあったように記憶しています。現代の人からしてみれば「どういう意味だろう」と思いますが、その頃は結婚を「片付く」という表現に置き換えていたんですね。だから、結婚できない人は「片付かない」。今考えると失礼な表現にも思えますが、あの頃は当たり前のように公然と使われていた。言葉の価値観の変化を痛感させられます。

豊田　そうかと思うと、最近では「忖度（そんたく）」のように妙に難しい単語があっという間に日常的な言葉となっている。実は、私、忖度を書名に使ったことがあります。たぶん日本最初で最後でしょう。『神の意志の忖度に発す』（朝日出版社）という本です。科学史家の村上陽一郎さんとの共著ですが、最初、編集部はわかりにくいと大反対でした。

ヤマザキ　「忖度」や「真摯（しんし）」みたいな言葉に関しては、政治家たちがあまりに多く使うから耳に残り、感染されて使う頻度が増える、というのはあるでしょうね。報道される頻度が多い言葉は自然と一般的に浸透していきますから。

色彩は「文学」だ

ヤマザキ　豊田さんが指摘されていた、語彙の乏しさについていえば、語彙が乏しいほうがメンタリティの負荷が減るという側面はありますね。
　たとえば、56色の色鉛筆を持つ人と6色の色鉛筆を持つ人がいるとすれば、人付き合いをするうえでは6色の色鉛筆しか持たない相手のほうが頭を使う必要がなく、楽なわけです。
「萌黄色（もえぎ）にちょっと緋色がかかったみたいな色が」と表現されても、6色しかない人には理解できないわけです。先ほどもそういう例を出しましたが、感性や感受性が細かくないほうが社会ではやりくりしやすくなる。56色の色鉛筆を持ち合わせている人も、あえてそのうちの6色しか使わないような暮らしを強いられるわけですが、生き延びていくためにはやむを得ないというのもあるでしょう。

豊田　かつての日本には、色に対して、それこそもっといろいろな表現があったと思います。たとえば「鴇色（とき）」とかね。ああいう表現を目にすると、豊かだなと思います。

ヤマザキ　「鴇色」と言われたときに、まず「鴇」とはなんぞや、となる。「鴇」がわかったところで、今度は「鴇という動物のどこの部分を指すのだろう」という疑問が湧く。「鴇」の赤い部分を指しているのだとわかるまでに、リサーチが必要になる。「鴇」

という一つの言葉に、ものすごい情報量がありますよね。ところが、そこでただ「赤」と言ってしまうと、赤色のリンゴしか思い浮かべられなくなる。色彩は、言葉という共有認識のプログラムとして特定できないものなんですよ。たとえばとある国の場合、虹は4色と表現される。ところが他の国では8色と解釈される場合もある。

これは、先ほどの語彙の話についてもいえることです。なんでも「かわいい」という言葉で済ませてしまう国では、たとえそれが朱色であったり、緋色であったりしても「赤」となる。これはシンプルなもので統括されている社会と、バリエーションのあるものをしっかりと感受できる社会の違いであり、細やかな違いを分析できる人たちがいる国には、自由と寛容が許されてきた社会的背景があるような印象を受けます。

先ほど豊田さんがおっしゃった〝言葉狩り〟についていえば、私たちは至るところで言語統制という現実に直面しているけれど、知性や感性のコントロールが厳しい環境ほど、さまざまな解釈を許されていないということになるのだと思います。

世間体という〝戒律〟がある国

ヤマザキ　私はよく、日本には世間体という名の〝戒律〟があると話します。日本では法律以上に、目に見えない、文章化されてもいない世間体が圧倒的な力を持っていると感じます。

たとえば独裁政権下の国々では言論統制が厳しいわけですが、同じように宗教によって法律が構築されている国でも言動は何かと規制される。イランのようなイスラム教の国ではたびたびそこに齟齬(そご)を感じた民衆による反発が発生していますよね。キリスト教が法や倫理に組み込まれているヨーロッパ諸国の場合でも、同じような言論や表現に対する統制はあります。イタリアではたとえば聖母マリアを揶揄(やゆ)するような言葉は使えません。でも、面白いことに口汚い悪口としてはアリだったりするんですよ、そこに彼らの表現規制に対する反論的意識が滲(にじ)み出ている気がします。ところが特定の宗教的拘束のない日本の場合は、「世間体」や「空気」という、まるでアメーバのように形を変え、砂の城のごとく実態がないものによって統括されていると感じます。

集団の力が強く、「大多数がこう思っている。それに背くのなら、お前は日本という国を構成する人間としての意識が欠けている」と見なされる。いわゆる、同調圧力ですね。

どんなに個人が反論しようとも、そのなかの一員にならなければ、日本を支えている人として見なされない空気がある。目に見えないし、わかりやすい制裁を受けるわけではありませんが、この流れに乗れない人は孤立したり、阻害されたりする。これもまたある種のファシズムではないかと思うのです。まったく同調するつもりもないし、人から異分子と見られても痛くも痒くもないはずなのだけれど、なんとなくそうしなければいけない、という空気にはなかなか抗えません。ことごとく調和が重視される国だということを考慮すれば仕方がないのでしょうけれど。

豊田　戦前の日本は、ファシズムに転落していた、という言い方をすることがありますが、戦前のほうがファシズムではなかったと思うことがあります。

ヤマザキ　戦前のほうが自由だったということですか。

豊田　戦時中も小田原評定をやっているうちに、結果的に負けていますからね。

日本人自身が軍国主義だと思い込んでいる節がありますが、とんでもない。世はまさに帝国主義の時代ですから、富国強兵で軍国主義化していったことは確かですが、まったく向いていない。鵜の真似をする烏（からす）のようなものでした。そもそも、日本人は戦争には適していない。

まず、リーダーが、ダメです。真珠湾攻撃のときの南雲（なぐも）中将は、大変人望のある人だったようですが、軍国主義のリーダーではない。いわば住民から好かれる村長さんのようなタイプ。港湾施設、燃料タンクの破壊を主張し、3度目の攻撃隊の発進を進言する部下に対して、これ以上を望むなとして、帰還を命じました。港湾施設、燃料タンクなどを破壊すると、非戦闘員を殺傷することになるという理由もあったようです。武士道精神、潔（いさぎよ）さ、フェアプレイなどと称賛されることもあるかもしれないが、敵の心配をしているようでは、戦争には勝てない。港湾施設が無事だったから、アメリカは、あっという間に破壊された多くの艦船を修復してしまったし、燃料が無事だったから、ただちに反攻に転じることができた。アメリカの将軍は、パットン将軍のように、もっと冷酷非情です。部下の相当数が戦死するとわかっていても、勝つためには作戦を断行します

ヤマザキ　戦前と戦後で大きく変わったことは何かを考えてみると、一つ「メディア

の発達」が挙げられます。戦時中の悲惨な日々を払拭するかのごとく、メディアやエンターテインメントといったものが、圧倒的な力を持つようになった。

たとえば、先ほど名前を挙げた小津や木下恵介(1912－1998年)の映画も、戦前と戦後ではガラリと雰囲気が変わります。ジョン・フォードにしても、『怒りの葡萄』(1940年)や『わが谷は緑なりき』(1941年)など戦前に撮っていたモノクロ映画では視聴者に対する社会批判という意識が強く出ていますが、戦後の『黄色いリボン』(1949年)になると、明らかに誰にでも受け入れられることを意識したエンタメ性が強くなる。アイルランドにルーツを持つジョン・フォードのカトリック的な精神性は、戦前戦後どちらの作品にも露呈してはいますが、戦後になると社会に対する批判的な用いられ方はなくなります。

戦前の小津の映画では、人と人は物理的に触れ合うことはほとんどないですよね。

アメリカの西部劇映画『黄色いリボン』より。監督はジョン・フォード、主演はジョン・ウェイン。日本では1951年に公開された。

接触しなくても感じられるもの、または言語化しなくても理解できる働きかけが確かにあった。ところが戦後、マッカーサーが来たあとになるとどこかキリスト教的感情のあり方が推奨されるような気配が漂い始める。愛情のような精神性の解放的表現が、そうした欧米のキリスト教的倫理の浸透によって顕在化していく。

豊田　日本社会や国民性を探究し続けた評論家・山本七平（1921－1991年）の『「空気」の研究』（1977年、現在は文春文庫）は面白いですよ。

古い本ですが、日本社会に纏（まと）わりつく空気を〝絶対的な権威〟として鋭く捉えた本です。「空気が読める人」「空気が読めない人」って、いまだによく言いますから、現代にも繋がる普遍的な考察です。

ヤマザキ　なるほど。その点、イタリアでは「空気」を意識しなければならないことは、日本ほど多くはありません。少なくとも私の周りには空気を読んでいる人はあまりいません（笑）。

空気を読むという行為は、多種多様な民族が渾然一体となった国では根づかない体裁です。空気は見えないですし、どこかに書いてあるわけでもないので、当然のごとく「空気を読む」ことを他人に求めるという意識も強くはありません。空気を読むというのは、先ほどの話と繋がりますが、やはり全体調和を重視した国ならではの特徴なのかもしれません。

「普通こうじゃない？」と「普通」という言葉もよく耳にしますが、日本は大陸と繋がっていないため、「普通」という言語の共有が確立してしまった。

しかし、大陸の国々では、あらゆる宗教に属するあらゆる経験と価値観を持った人々が入り交じりながら暮らしているため、そもそも「普通」というものが成立しません。学校の教室でも、言語も宗教も異なる子供たちが肩を並べているような環境では「普通は」などと言われても、何がその「普通」を指しているのか特定できないわけです。アフリカのマリ共和国の一般家庭と石油産出国クウェートの一般家庭では比較にならない。どちらもそれぞれの国の同じ中流家庭であっても、マリでは移動に使う手段がロバなのに対し、クウェートは普通にベンツだったりする。普通という言葉の曖昧さは世界を旅していると痛感させられることです。

聖徳太子の「論じろ」

豊田　私は、90年代の終わりに『日本を動かしてきた歴史　談合主義の功罪』（1998年、青春出版社）という本を出版したことがありますが、日本には今も談合文化が染みついていると感じます。「談合」という単語を辞書で引くと、一番目の意味としては「話し合うこと」と書かれている。話し合いで解決しようとするのは日本人らしさかもしれませんが、話し合いだけでは解決しないこともあるから、力や権力でなんとかしようという発想が生まれる。入札などの価格を事前に話し合って決めようという意味の「談合」が強くなっていったのだと思います。たとえば、官僚と企業の癒着などは、日本ならではだと思いますね。

先ほどヤマザキさんもおっしゃっていましたが、歴史的に見ても日本では「調和」が大切にされてきました。聖徳太子が制定に関与したといわれる『十七条の憲法』の第一条の冒頭の「以和為貴」は「和を以て貴しとなす」、つまり「和を大切にすること」を意味するとされていますが、実は続きには「論じろ」とあるんです。

ヤマザキ　それは知らなかったです。聖徳太子は論じることの必要性をちゃんとわかっていたんですね。

豊田　聖徳太子は必ずしもベタベタした関係の「和」を推奨していたわけではないのですが、後世の人々が履き違え「調和」だけに焦点を当てるようになった。「論じろ」のところが完全に抜けてしまったんですね。調和だけではいけないとわかっていたから、「論じろ」と言っていたわけです。

真のグローバリスト、空海から学べること

ヤマザキ　あの当時、すでに大陸からやってくる人間を見ていると、何か共有できない基本的な価値観のようなものを感じたのでしょうね。和を尊ぶのは日本式ではあるけれど、論じることの必要性もわかっていた。

豊田さんの話を聞いて、私は空海の話を思い出しました。空海もまた平安初期に唐（中国）に渡り、長安のような人種の坩堝（るつぼ）のなかであらゆる宗教とあらゆる文化を体

感して帰国したわけです。そのときはさまざまなカルチャーギャップと向き合ってきたのではないかと想像します。「仏教」という帰属すべき領域があっても、唐でさまざまな影響を受けてきたことは間違いないですし、そんな社会で生きてきた人間が、日本のように海で閉ざされた土地に戻ってきた際は、やはり伝えたいこと、語りたいことが山のようにあったと思うんです。

豊田 「南都六宗」という、平城京を中心に栄えた日本仏教の世界に舞い戻ってくるわけですが、空海は今でいう「プロモーター」だったと思います。

空海は唐の都・長安にある「青龍寺」で恵果(けいか)和尚から真言密教を教わるわけですが、恵果和尚は経典を含め、大切な仏具をすべて空海に渡してしまうんですね。真言宗などの密教では、「阿闍梨(あじゃり)」という指導者としても認められれば一人前とされるのですが、空海はその位も授かっている。伝法(でんぽう)阿闍梨といいます。あの中国人の恵果和尚が東夷(とうい)のはずの空海を後継者としたのですから、空海という人がどれほど優れていたかわかります。

ヤマザキ 今でいう外交官ですからね。仏教というカテゴリーの属性はあっても、実質的には国の繁栄に繋がるあらゆるファクターを見聞してこなければならない義務があったわけですから。以前、取材で甘粛省の黄河流域の巨大石仏を見に行ったことがありますが、そこに彫られている仏の顔だちもそれぞれで、漢民族だけではなく、インドヨーロッパ系とおぼしきものもあり、あらゆる地域のあらゆる人々が大陸を行き来していたことがはっきりとわかります。

豊田　恵果和尚の師である不空は、密教を唐に定着された人物として知られていますが、「アモーガヴァジュラ」と呼ばれていたことからもわかるように、出生地はインドだったともいわれます。まだ唐でも完全には根づいていなかったものを空海は見抜き、日本に広めようとしていたわけです。その嗅覚もすごいと思いますし、プロモーターとしての才能もあったのだと思います。

ヤマザキ　チベット仏教はシルクロード上の繋がりのなかで広がっていった文化なので、空海は日本で初めて〝シルクロードの質感〟を日本にもたらした人だと思います。大陸と繋がる大きなきっかけを築き上げたのは空海だったわけですが、その空海も帰国したら帰国したらで、日本のやり方で広めていく必要性を感じていたはずです。

自分が持ち込んできた大陸的思想や文化を、どうすれば日本でうまく広めていけるのか。空海は世間から逃れ山に籠もっていたことでも知られていますが、山にでも籠もらないと自分が持ち帰ったものを正確にプロモートできないと考えていた可能性だってありますね。

豊田　空海は唐に渡る前は各地で山岳修行をするなど、ずいぶんと放浪としていたようですからね。その頃の経験が大いに活かされていたはずです。

ヤマザキ　もともと長いものに巻かれて安心するタイプの人ではなかったということですよね。同じ船で唐に渡った最澄はわずか半年で帰国するわけですが、事情がなんであるにせよ、空海にとっては、半年などではとても足りなかったでしょう。

空海らが乗った船が航路を外れて福州長渓赤岸鎮（せきがんちん）という場所に漂着したとき「海賊の船ではないか」と疑われたという有名なエピソードがあります。そのとき、空海が遣唐大使に代わって中国語による嘆願書を執筆するのですが、その文字があまりに達筆で、しかも文章も素晴らしかったために、福州の長官がびっくりして、そのおかげで長安入りを許されたといわれていますよね。盛ってるところもありそうですが、空海という人は、もともと日本という地域性から逸脱した感覚を持っていた人だったということですね。

帰国してからの空海が経典を真言で唱えている姿はさぞかしインパクトがあったこ

とでしょう。未知の言葉でお経をあげる空海は、たとえ仏教の僧侶ではあっても、民衆にとっては一種のシャーマン的存在だったのではないかと思います。サンスクリット語のお経はある種の「音楽」であり、エンタメ的要素も含んでいたはずです。一般の人々も「音」として耳から入ってくれば、感覚として受け取ることができる。グローバルな感覚を持ち合わせていた空海から、今の私たちが学べることも多いにあるのではないでしょうか。

豊田　昔は、聖徳太子にしろ空海にしろ、そうした国際感覚を持った〝国際人〟が今よりもずっと多くいた気がします。

優先すべきは「社会」？　それとも「家庭」？

ヤマザキ　当時の国際感覚というのは、現代とは比べものにならないくらい、一人で抱えるには質量の大きなものだったはずです。なにせその感覚を共有できる人が周りにはいないわけですから、メンテナンスや処理に費やされるエネルギーもまた相当だったでしょう。でも、彼らにしてみれば、日本がどんなに調和重視で逸脱することを嫌う民族によって成り立っている国家だったとしても、大陸で得てきた知識を活かせば効率化する社会が見えていたでしょう。日本を良い国にしたいのであれば、わかりきっていることを繰り返し続けていても埒（らち）があかない。空海はおそらく闊達（かったつ）な言葉を駆使する外交力も相当だったと思うのですが、となると、政治家に彼らの斬新な意見を受け入れられるキャパのある人がいるかいないかが問われるところですね。あの当時でありながら、空海のような人はすでに議論やディベートの必然性というのを感じていたんじゃないでしょうか。

豊田　小学校の頃からもっと議論をすることが大切で、対立を恐れてはいけないんですよね。それは家庭内でも同じかもしれません。

ヤマザキ　家庭内のことは家庭内のことで、特有の難しさがあると感じます。

今、日本では家庭内の考えと社会で一般的とされる価値観のどちらが大切か、となったときに、「社会」を優先してしまっている。「学校ではこうしてはいけないはず」と、親たちが社会を最優先にすることで、家の個性を強くしすぎてはいけない、と考える傾向にあると感じます。

学校など社会という全体調和を重要視することで、家庭内で独自の価値観を共有しようと思っても、できなくなっているのが現状です。

たとえば、学校で子供が虐められて帰ってきたとします。すると、日本の家庭では理由がどんなものであれ「学校で虐められるようなことをしたの？　あなた、悪いことをしたのなら、ちゃんと謝ってきなさい」と言ってしまう傾向があると思うのです。その途端に子供は「家庭は自分を守ってくれる場所ではなかったの？　社会に対して、謝りに行かなければいけないの？」と混乱すると思います。

戦後日本にも西洋式の家族愛が浸透したにもかかわらず、やはり根底では人間は家族ではなく外側の社会と足並みを揃えていくことを優先してしまう。そのバランス調整がうまくいっていないんです。自分を守ってくれるべき家庭が急にそっぽを向き、当たり前のように社会のほうを向いてしまう。一方、家族優先のメンタリティが徹底しているイタリアの場合、子供が虐められて帰ってきたとしたら「そんな学校は辞めなさい。もっとあなたがなじめるところを探しましょう」となる。原因が自分の子供にあったとしても、外側に適応するより、自分の子供が相応(ふさわ)しい場所を探すという選択をするわけです。

社会と家族の重心の置き方が曖昧な限りは、家族の中でもさまざまな齟齬が続いていくでしょうね。

“空気”が社会をまとめ上げる

豊田　明治になり、近代化したように見えますが、日本の基層のような部分はヨーロッパとは全然違うところから来ています。やはり特殊なのかもしれません。

先ほど「出る杭を打つ社会」とおっしゃっていましたが、そもそも自己主張しないですからね。世界では黙っていたら無礼、あるいは承諾していると見なされる国のほうが多いです。日本の家庭では、両親がスピーチやディベートを学んだこともないので、どのように議論をしたらよいのかわからないというのもあるのでしょう。

ヤマザキ　でも海外では、子供にしても大人にしてもテレビを見ながら「あいつは嘘つきだ、言ってることを鵜呑みにするな」といった会話を交わしているわけです。今の日本は、それができない社会ということです。たとえば、家庭内で議論しないのはなぜかと考えると、言葉を使わなくていい社会になってしまっている、ということができます。言葉を巧みに駆使し、言いたいことをなんでも言える人が現れると、調和を乱すからと阻害されてしまう。

こうした「空気」という目に見えない力によって予定調和意外の言動を抑制させられる傾向は、ある意味で群衆統括の〝成功例〟といえると思います。私たちは、民主主義により自由な言動が許されると思い込んでいますが、ポル・ポト政権や中国の文化大革命さながら、知性や教養の発達を剥奪されている気配すらある。子供たちに対しても、「そんなことは学校で言ってはダメだよ」「言ったらもう仲間外れになるからね」と、人に刺激を与えるような個性が出てこないことを奨励してしまっている。

豊田　たとえば、今のロシアは政府が物事を言えない社会にしているのに対し、日本は誰に強制されることもないまま、勝手に物事を言えない社会になっている。

ヤマザキ　やはり日本においては、「世間体」こそがある種の宗教になっていると思います。

第3章

日本人のバックボーン＝神道は多神教

古代ローマと日本の類似点

ヤマザキ　「なぜ古代ローマを描くのか」。これは、私がよく受ける質問の一つですが、大きな理由としては古代ローマと現代の日本には共通点が多いことがあります。宗教的な拘束がない社会であり、先ほど話に上ったように「世間」がルールを作り出す、という点は、まさに古代ローマと現代の日本に共通する点です。

古代ローマは多人種国家ですからさまざまな神が信じられていましたが、基本的にギリシャの神々がメインだった。現在のイタリアのようなキリスト教の倫理観とは異なる価値観が彼らにはあった。前にも話しましたけれど、日本の八百万の神さながらの個性を持った神々の集団であるギリシャ神話を基軸とした価値観が、国民の生活に浸透していました。

勘違いをされている方もいるのですが、古代ローマと今のイタリアはまるで違います。たとえば、私の夫の家族はその他大勢のイタリア人と同じくカトリックですが、特別信仰深いわけではありません。むしろ知的職業の義父や夫は神の存在など信じていない。ところがいざというときには「嘘をつくのは人として間違っている」「クリスマスはどんなに仕事が忙しくても家族で過ごさなければならない」など、細胞レベルでキリスト教の倫理が染み渡っています。対して私は、母方がカトリックなので幼児洗礼も受けてはいるのですが、北海道の自然のなかで育ったということもあり、どちらかというと野放しにされた、神道もしくは自然崇拝の子供という感じで、森羅万象のなかで生きてきました。

ただ、シングルマザーで忙しい音楽家だった母が仕事のときに私たち姉妹を預けていたのが、ドイツ人の聖フランシスコ修道院や、教会の神父さん。おのずと私の倫理もカトリックに根づいたものになっていきましたし、その後イタリアで暮らすようになったときは、その土台のおかげで適応が楽だった部分もあったと思います。

豊田　日常で意識することはそれほど多くはないですが、やはり日本人のバックボーンは「神道」なんですね。

たとえば日本人の多くは、年に一度初詣に行けば、それで義理を果たしたという感覚があるでしょう。イスラム教のように「これを食べてはいけない」といった強い制約を受けたり、キリスト教の聖書のように「これを読まなければ」と日々考えたりしながら生きることもありません。

古代ローマもまた多神教の世界で、唯一無二の神様などいないわけですね。

ヤマザキ　たとえば「右の頬を打たれたら左の頬も差し出しなさい」「愛こそがすべてです」と、社会の不条理に打ちひしがれて疲れているような人の心に届く言葉を持っているのがキリスト教です。生き延びていくことへの力が、命は大切なものであり、たとえ死んでも蘇るかもしれない、「善い行いをしていないと、天国へは行けない」という信仰から与えられる。

対して古代ローマは、現在のイタリアに比べて神道の日本に近い。あれだけ個性豊かな神様がいて、信仰というより人間のサンプルに近い。それを見て、生き方を自分たちなりに考えましょう、という役割をなしていたと思うので、頭ごなしに全員に同一の価値観、倫理観を強制するわけではありません。そもそも、生きている短い期間よりも、死んでからどれだけ名前が残るかが大事、と考えるのも古代ローマの特徴です。

神は生きていくうえでのサンプル

豊田　多神教の世界は日本人にも非常にわかりやすいですね。我々日本人は「来世」のことはあまり考えませんから。

ヤマザキ　イタリアでは、「復活」というキリスト教的考えから埋葬はずっと土葬がスタンダードであり、近年、特にここ数年のコロナ禍でようやく火葬が生前の同意がなくても、一般的に実施が認められるようになりました。埋葬方法だけではありません。基本的にカトリックの倫理観が色濃く残っているため、長年イタリアでは離婚をするにも5年ほどの歳月を要していましたが、近年になって半年ほどで離婚が成立するようになりました。

多神教の神への信仰は、一神教のものとは要素が違います。古代ギリシャ神話はどれも面白いですよ。神はいろいろなことをやらかします。人々はそんな神様を見ながら自分たちの判断と想像力で倫理観を培う（つちか）わけです。〝最高の神〟とされるゼウスでさえ、節操がないですからね。神様は人間にすべてを教えてくれる見本のような人たちではなくて、「人間というのは、そもそもこういうものなんだ」という事例のような存在でした。つまり人間として生きていくうえでの特性や注意点を示唆してくれる「俳優」みたいなものです。「ゼウスは浮気をして妻のヘラに酷い目に合わされました。これを参考に自分なりの良識と倫理を持ってください」というのを伝えるための悲劇や喜劇なんですよ。女の強さも、ギリシャの女神様たちによって余すことなく表されていますからね。

豊田　日本には、たとえば八幡様がいますよね。

八幡様は戦の神ですから、その神社の一角で飢饉が起こると、「八幡様だけでは手に負えないだろう」と人々は思うようになる。飢饉をなんとか収めるべく、別の神社から食糧の神様を借りてきて、八幡様と一緒に祀り、飢餓に備えるようになるわけです。神様を、よそから融通してもらうことを勧請といいます。

日本の場合は、神たちを融通し合ったり、必要があればよその神様を借りてきたりしていた。対して一神教では、一つの神がすべてをこなさなければいけない。だからこそ、さまざまな「聖人」たちが登場して崇められるようになったのかもしれません。セント・ディスマスという泥棒の守護聖人がいるそうですね。

ヤマザキ ギリシャ神話には、泥棒の守護神である「ヘルメス」だっていますからね。泥棒擁護のための神ですね。これも先ほどの倫理の問題に繋がりますが、「人から物を盗ってはいけない」とはいつ誰が決めたのか。その視点や基準について考えることもあります。

神話の類似性の不思議

豊田 少し話題を変えますが、日本女性は非常にサブミッシブ（従順）というイメージがヨーロッパではあります。

でも、日本女性の地位はけっして低くないと思います。卑弥呼がいるし、日本初の女帝推古天皇などは、姿色端麗と書かれていますから美人だったのでしょうが、進止軌制とも記録されている。行動に計画性があるという意味です。他にも、北条政子、日野富子など、歴史上の「すごい女性」はたくさんいます。

女神もたくさんいますね。ギリシャ神話のヘーパイストス、ローマ神話のバルカンに相当する鍛冶の神は、日本ではイシコリドメといって、女神です。

ヤマザキ　女神が統括してきた社会という点では、古代地中海世界も同じですね。最近は草食化が進んでしまいましたが、20年くらい前までは、イタリアの男性は女性が通るとジロジロ見るのが当たり前でした。当たり前というか、もう当然のことなんですよ、女性を崇める礼儀のようなものだと言っていた友人もいました。「女性は女神だから崇めなければいけない」だそうです。

豊田　日本でいうと、天照大神（あまてらすおおみかみ）でしょう。似たところがあります。姉妹の月読尊（つくよみのみこと）も女性ですし、あの系統では須佐之男命（すさのおのみこと）が唯一の男性ですが、失敗をして天照大神に下界に追いやられています。

その須佐之男命の八岐大蛇（やまたのおろち）退治は、ギリシャ神話の英雄ペルセウスが怪物を退治して王女アンドロメダを救う「ペルセウス・アンドロメダ型の神話」とそっくりです。

ヤマザキ　イザナギとイザナミの神話なんかは、オルフェウス神話とそっくりですよね。世界各地の神話の類似性についてはいろいろな説がありますね。同時多発説と伝承説と。中国や韓国にも似たような神話はありますか。

豊田　それが、ないのです。おそらく中国や韓国はどちらかというと「俺が、俺が」

の文化ですから、自分たちの神話を優先して、消してしまったのではないかと考えます。韓国の『三国史記（サムグクサギ）』や『三国遺事（サムグンニュサ）』という『日本書紀』『古事記』にあたる古代史書を隅から隅まで読みましたが、ありませんでした。日本と古代ギリシャ、ローマは多神教という意味で、やはり他では見られない類似点があるのだと思います。

ヤマザキ　私も世界数カ国で暮らしてきましたが、女性の特徴越しにそれぞれの国の経てきた歴史が見えてくるのを感じることがあります。特にイタリアの女性は、母性を最大の武器にしていますし、男性は常日頃そんな女性を「美しい」「あなたは特別」といった形容で敬い続けなければならない。地中海沿岸の地域では、豊穣と紐づけられる古代の女神崇拝の概念が残っていることが関係しているのでしょう。

　キリスト教における聖母マリアの存在も大きいです。ミケランジェロの「ピエタ」を見れば、

バチカンのサン・ピエトロ大聖堂にある、ミケランジェロの彫刻「ピエタ」。十字から降ろされたキリストをマリアが抱く姿である。撮影：フアン・マヌエル・ロメロ

イタリアにおける男女のあり方が一目瞭然です。ちなみに、イタリアの男性は「イタリアでは年がら年中女性を褒めそやしていないと、いつどこでキレられるかわからない。でも日本の女性からはそんなことを強制されないし、抑制されていて素晴らしい」と言うのですが、私は「イタリア女とは確かに違うけれど、日本の女性にはまたイタリア女とは違った怖さもあるよ」と言い返してしまいます。

それぞれの国の女性の特徴がもっとも身近に理解できるのは、各国の客室乗務員の立ち居振る舞いじゃないでしょうか。確かにアジア圏の女性客室乗務員たちはサービスが行き届いていて、日本の航空会社なんかは「お酒、もっとどうですか」などと積極的に勧めてくださいますよね。アメリカの飛行機に乗ったら、太ったおばさんが「コカコーラと水、どっち？」。コーラか水しか選択肢がないのです。迷っていると、「早くしなさい、どっちなのよ⁉」とキレられますので注意が必要です（笑）。

ベルルスコーニが長年君臨した理由

豊田　そもそもの話になりますが、ヨーロッパの宗教（レリジョン）とは、キリスト教、イスラム教、ユダヤ教を指しています。多神教はポリセイズム（polytheism）、直訳すれば複数神制で、宗教には含まれません。

ヤマザキ　確かに「宗教」という枠ではないかもしれませんね。先ほどの古代ローマと日本の共通点という話に繋がりますが、古代ローマの人々の頭のなかには、神道イズム的な神話がある種の教えとしてあり、それを、後に生まれるいわゆる「法律」と組み合わせながら生きたという意味で、非常に日本と近しい部分がある。なので、ローマ人たちも「世間体」を気にしながら、非常にピリピリしながら生きていた。

たとえば、カエサルは借金を重ねていたうえ女たらしで、自分がお金を借りている友達の奥さんまで寝取っていたそうです。なのに、妻を寝取られたその男性は、カエサルには文句が言えない。カエサルにはそれくらい、圧倒的なカリスマ性があったということなのだと思いますが、そうなるとやはり周囲の妬みやっかみの対象となってしまう。今でいうSNSのように、カエサルに対する誹謗中傷の落書きが街中の壁に見られていたに違いありません。ただカエサルは単にリーダーとしての資質に恵まれていただけではなく、野心家の軍人的性質を備えています。苦戦を強いられつつも、ガリアという広大な土地とそこに住まうさまざまな民族を統制し、平定に成功した人物です。しかもその戦いの記録を「ガリア戦記」というラテン語文学の名著として記す文才もあった。振り幅も広く寛大な、要するに妬みやっかみの対象としてはもってこいの存在だったといえるでしょうね。

豊田　日本でも古代は同様でした。いわゆる万葉的な大らかさ、という時代でした。セックスに関しては大らかなものだった。歌垣（うたがき）、嬥歌（かがい）といって、祭りの夜などに歌をかけあって、見知らぬ男女がそのまま結ばれてしまう風習もありました。兄弟姉妹の結婚も、同母の相手でない限り許されていました。天武天皇などは、兄の中大兄皇子（なかのおおえのおおじ）（天智天皇）の娘、つまり姪を4人も娶（めと）っていた。

そうだ、カエサルに匹敵するかどうかわかりませんが、聖徳太子のお母さんがいる。大変な人なんです。間人（はしひと）の大妃（おおきさき）、用明天皇の妃ですが、なんと義理の息子にあたる多目皇子（ためのみこ）と、できてしまう。先妻の息子と後妻、まるでアダルトビデオにあるようなシチュエーションです。

聖徳太子は、この母親が用明天皇との間に産んだ男ばかり4人の皇子の長男にあたります。父親の天皇は、太子が10代半ばのとき崩御しています。腹違いの兄と母親の関係が、用明天皇が存命の頃から続いていたのかどうか、そこまでは記録にありません。この二人の間には、佐富女王（さほのひめみこ）という娘が生まれています。太子から見ると、母親の娘と考えれば妹にあたるし、兄の子と思えば姪にも当たるという複雑な間柄です。年齢の記録はありませんが、用明天皇との間に太子をはじめ4人の皇子を産んでいますから、たぶん間人の大妃のほうは閉経間際で、多目皇子よりそうとう年長だったらしい。

太子が二人の関係をいつ知ったか、これも記録にありませんが、母親が出産できる年齢だったのですから、おそらく10代のことだったでしょう。腹違いの兄に、母親を盗られてしまった。もし、私が、聖徳太子と同じ立場だったとしたら、きっとグレています。聖徳太子には、黒駒（くろこま）の太子という伝承がありますから、乗馬で発散していたのでしょうか。

あんまり小説家的な発想を続けると、聖徳太子＝暴走族説になってしまうから、この辺でやめますが、こうした、いわばスキャンダルにあたる行為を非難するようなモラルは、当時は存在しなかった。日本ではわりにセックスに寛大で、非難されることもなかったのですが、現代は、せちがらくなって、偏狭なモラルに支配されるようになっている。
　イタリアは、今もカエサル時代のように寛大なイメージがあります。お話をうかがっていて思い浮かべたのは、シルヴィオ・ベルルスコーニ元首相です。あの人も、女性スキャンダルが絶えない。同じですね。

ヤマザキ　カリスマという観点で捉えてもまったくその通りです。

豊田　日本ではあんなに大衆人気にはならないですよね。

ヤマザキ　あの人を支持するには、それなりのエネルギーが必要になってくるからでしょうね。イタリアでだって、ベルルスコーニについては「自分たちの立場で考えてくれる慮り(おもんぱか)りの人」だとは、誰も思っていない。巨額の財産を保持するメディア王で、美女たちを侍(はべ)らせ、どんな困難も人からの中傷なども気にせず唯我独尊的にふるまう。顰蹙(ひんしゅく)を買うようなスキャンダルが露呈すれば「おれはイタリアなんか大嫌いだ！」などと平気で豪語する首相（笑）。日本では考えられないでしょう。
　でも、カエサルのような人物やムッソリーニのような人物をリーダーとして従えた歴史を持つイタリアの国民はみな、政治家になるのはそもそもこういう連中だと思って見ている。だから、信じる、信じないという対象ですらありません。

豊田 俯瞰（ふかん）しているんですね。

ヤマザキ 俯瞰していますね。

そもそも政治家になりたい人間は、「正義」を振りかざしてはいるけれど、民衆を統括したい意欲に駆られるなんて普通の人間が考えることじゃないだろう、という目で見ている節がある。政治家というのは社会には必要なのだろうけれど、信仰の対象ではない。彼らがいることによって混乱が生じる率のほうが大きい。先程のギリシャ・ローマの神みたいなもので、政治家はある種の人間の美徳だけではなく愚かさやみっともなさも見せてくれる存在なわけです。そこで選ばれた人たちを見て、何を考え、何を考え直さなければいけないのか。彼らはそのために存在しているんだと捉えている人たちもたくさんいるでしょう。

ベルルスコーニという人間みたいになりたい、と目標に掲げる人がいるかどうかは謎です。むしろ、気づけば彼はいつも非難の対象でした。ベルルスコーニがどれだけ自分のために法律を変えていったか、自分勝手極まりないその手腕には呆れまくっていましたし、人としてあんなヤツになってしまったらおしまいだ、という気持ちが根底にはあります。

人間は何か特別な存在であり、他の生き物たちより優勢であるという意識を持ってしまっていますが、先ほど言ったように地球を俯瞰して見たら、そんな大した生き物でもないわけです。ものすごく怒られる言い方になるかもしれませんが、優れた政治家は人類の社会という、いわば猿山のバランスを崩さないよう、うまい具合に保っていける力量がある人がなるべきなんじゃないかと思います。猿山は土地によってさまざまな特徴を持っていますから、たとえばベルルスコーニが日本に来てあの無謀な統治力を発揮するのは難しいでしょう。その国特有の政治性やその国ならではのルールがどのようにして生まれたのかを考えるには、やはり歴史的背景や時代の流れを見ていくことが必要になりますね。

多神教か一神教か

ヤマザキ　そのうえでも、やはり多神教の国家なのか、一神教が根づいている国家や国民なのかという点は重要かもしれません。私たちがこういうことをしてもいいのか、いけないのか、やってしまったことを気に病んだり、苦しんだりするのは、すべて倫理の縛りによるものじゃないですか。倫理とは、その国の統治にかなった内容として形成されるものですよね。

私たち日本人の倫理性は、まだ西洋文化の影響を受けていなかった江戸時代とも、西洋化が急ピッチで進められた明治維新直後とも違うでしょうし、ことに第二次世界大戦後、欧州の平和主義的概念が込められた憲法九条が制定されたことで新たな倫理観が加わるなど、ことごとく変化を遂げてきています。そう考えると、日本人の良識や常識はすごく流動的ですね。一神教が政治のベースになっている国と違って普遍的な軸がないのも特徴です。

豊田　先ほど、普段は「神道」を意識することは少ないと言いましたが、ある日ふと「ひょっとすると自分は神道の信者なのではないか」と思うことがあります。本人ですら信者だと気づかないほど神道はいい加減な宗教ですが、明治以降の近代化には、役立っているのではないでしょうか。どこかの神社へ行ったとき、お賽銭でも上げて、柏手(かしわで)の一つも打っておけば、それで義理が済んでしまう。宗教上の戒律に縛られることもないし、それほど時間を割(さ)く必要もない。その分、近代化に資(し)したのでしょう。

しかし、ほとんどタブーのない神道が、どうやら現在は重荷になり始めている。神道の唯一のタブーが、穢れです。日本人の清潔好きな国民性など、神道の影響でしょう。穢れは、清め、払いということをして防がなければならない。禊という言葉はもともと神道の宗教用語ですが、醜聞や疑惑があった政治家が、選挙で再選されたりすると、「禊が済んだ」などと言いますから、日本人の心に根差しているのでしょう。

穢れのうち、もっとも強力なのが死穢、つまり死の穢れです。古代には、天皇が崩御すると、そのつど都を移していた。もともとミヤコという言葉は、首都という意味ではなく、宮処といって、宮殿のある処ですので、天皇の死によって死穢に汚染されたと考えたから、捨て去るわけです。

現在、主要国のうちでは、日本はもっとも安全に関する規制が厳しい。特に原子力、臓器移植、コロナ対策の緩和などには抵抗が大きい。これは、やはり神道の穢れのタブーが影響しているのでしょう。

もともと神道は、キリスト教、イスラム教などのような人為的な宗教ではなく、縄文時代から自然発生的に起こってきたものですから、森羅万象を神と見なすわけです。山も川も、岩も樹木も動物も、敬うわけです。そのあたりの信仰の原点が、揺らいでいるということでしょうか。

ヤマザキ　それはやはり、たとえ神道が日本古来の信仰を司ってきたものとしても、一神教のような拘束下に置かれていない私たちの国民性の本質なんじゃないでしょうか。

　ヨーロッパにいても、私はイタリア人にスイッチを合わせることはできるけれど、夫が私に合わせることはすごく難しいのだろうな、と感じることが多々あります。ではどうして、日本には森羅万象という考えがあるのかと考えてみると、やはり敵に攻められにくく外部から他民族が侵入し難い、海に囲まれた南北に長い温暖湿潤気候の島国という地政学的な意味合いというものが強く関わっているでしょう。

豊田　長い間、外敵が来なかったわけですからね。近世に至るまで、対外戦争は3回しか行われていません。日本のような島国で、近世に至るまで3回しか対外戦争をやったことがない国は、まずないですね。

　1回目は朝鮮半島での白村江（はくすきのえ）の戦い（663年）。2回目は蒙古襲来（1274年と1281年）。3回目が豊臣秀吉の朝鮮出兵です。ですから、日本が国家規模で侵略を受けたのは、蒙古襲来のときの1回だけです。「周りの国にいるのはいい人ばかり」

という発想も、そうしたところと関係していると思います。

ヤマザキ　そうだと思います。ヨーロッパは古代から、いつ隣から攻めてくるのかもわからない、緊張感と危機感とともに生きていた。国民性は大陸か島国かだけでも全然違ってきますし、他国による侵略や統治をどれだけ受けてきたかという経験値でも変わってくるでしょう。

豊田　たとえば、飛鳥時代に起きた内乱、丁未(ていび)の乱は仏教導入を巡る日本で唯一の宗教戦争ですが、聖徳太子と蘇我馬子(そがのうまこ)は崇仏派、物部守屋(もののべのもりや)は廃仏派で争うけれども、すぐに終わってしまいます。物部守屋が殺されるのですが、物部方は主人が殺されるとみんな逃げてしまいます。しかも、物部一族は、石上(いそのかみ)氏と名前すら変えてしまう。その後、物部という名乗りが許されるのは奈良時代になってからです。ヨーロッパの宗教戦争だったら、こんなことはあり得ません。

ヤマザキ　日本でたった一度の宗教戦争というのも面白いですね。しかもそんなにあっさり終結してしまうとは……。仏教もそのくくりに入るのかわかりませんが、キリスト教やイスラム教など一神教の国の人々はとにかく自分たちの信仰を貫きたいというのがある。自分たちの信じていることは絶対であると思い込みたいわけですから。

日本の場合だと、流動的な性質のお陰でたとえ同意できないことであっても相手を理解しようとする意識とエネルギーが発動しますし、その姿勢には風通しの良さを感じることもあります。強固に自分の何かを築き上げるようなものがないじゃないですか。たとえば日本の場合、20年に1度くらいの頻度で神社の社（やしろ）を造り替えたりしますね。

豊田　伊勢神宮の遷宮がそうですね。式年遷宮といって20年ごとに行われ、すべての備品まで、そっくりに造り直すんです。たとえば神矢など、トキの羽と決まっていたので、絶滅状態の前の遷宮のときは困ったそうですが、今は繁殖に成功していますから大丈夫らしい。そもそも、日本文化は昔からコピー文化なんです。物事の真贋（しんがん）ということには、こだわらない。三種の神器にしても、宮中の火災で焼けたり、平家滅亡とともに壇の浦に沈んだりしています。では、今ある三種の神器が偽物かというと、そんなことはない。新しく作っても、魂写（たまうつ）しという儀式をやれば、それが本物になる。

世界的な大ヒットとなったウォークマンにしても、たぶん発明した人の名を知らない人が大多数でしょう。しかも、他社も同様の製品を勝手に作ってしまう。アメリカならただちに訴えられるケースでしょう。日本人は均質性の高い社会に生きているから、優先権、著作権などには、あまり気が回らない。権利意識が低いともいえる。ウォークマンにしても、プリクラにしても、大ヒット商品ですから、発明した人は、アメリカなら億万長者でしょうが、日本では会社内の仕事ということで片付けられ、多少は報奨金など出たでしょうが、名前も知られないほどです。

ヤマザキ　そこもまた日本の〝調和重視〟的傾向の現れのようにも思えます。日本は他国と比べて、何においても新陳代謝が速いですね。そもそも自然災害が多く、作ったところで壊れる、作ったところで形を留めておけない、死ぬときには何も持っていけない、という風土にも由来しているのかもしれない。

イタリアのように、何世紀も何十世紀ものものの時間を経た建造物が現代の街中に普通に見受けられるというのとは違います。古代ローマでもルネサンスでも、建造物が造られるときは普遍的に残り続けることが意識されているわけですが、日本は木造に障子ですからね。そこにはもちろん湿潤な気候であることも関わっていますが、やはり火で簡単に燃えてなくなってしまうものを造るという精神性は、欧米にはないですからね。

私はイタリアの美術学校で油絵を学んできましたが、作品がいざ完成してしまうとそれにはまったく執着がなく、欲しいという人がいたらホイホイあげてしまう。すると周囲からは、おかしいんじゃないかと言われたりするわけですが、私にとっては作品はプロセスが重要であって、完成してしまうと意識はもう次の作品に移ってしまっているわけです。執着したところでいずれは死ぬし、いつまでも手元に置いておいても仕方がないじゃない、などと言うと、どうしてそんなにペシミストなんだと呆れられる。だけど、そういうことじゃない。形のあるものはいずれ崩れるか消滅する、というのがメンタリティの基本軸になっているんです。そこが私の日本人としての資質の現れでしょう。

〝新しいもの好き〟は神道の利点？

豊田　日本では自然災害にしてもなんにしても、首をすくめていれば一過性で去ってしまうから、異民族に何百年にわたって酷い目に遭わされることはないですね。だいたい首をすくめていれば済んでしまうと思っているから、恒久的なものはあまりないのです。

日本は島国ですから、外国の文化を強制されたことがなくて、江戸時代がそうですが、新しいものが入ってこなくなると爛熟し、そして幕末になると退廃してきます。新しいものは自分たちが取りに行かないといけないから、たとえば先ほど名前の挙がった空海ら遣唐使なども命懸けで取ってくるし、自分たちが積極的に取り入れないといけない。

日本人の〝新しいもの好き〟のルーツはこんなところにあるのかもしれません。表面的なものではありますが、先ほどの言葉の新陳代謝にしても、「新しい言葉を使ってみたい」という意識が根底にはありそうです。

ヤマザキ　その話で思い出しましたが、日本と比較すると、イタリア人は中古車好きです。アンティークカーの蒐集家というのではありません。単純に同じ車種でも新しいものより、数年前に誰かが購入して数万キロくらいすでに走っちゃった車が好き、という人たちです。彼らはたとえお金があっても新車を買いたいとは思わない。なぜなら、新車は味がなく面白くないからです。何色にも染まっていない純真な乙女よりも、紆余曲折を経てきた熟女のほうが圧倒的に面白い、そんな女性と付き合いたいと考えるイタリア人の嗜好性が、車のあり方にも現れてしまってるということでしょう。

一方で、日本人は新車を好みます。家屋も、できれば新築の家がいいという人のほうが多いでしょう。一から自分色に染まってくれる新しい車や家を好むのは、豊田さんがおっしゃる通り、島国という、大陸とは異なる地質条件のなかで生まれた、〝新しい物好き〟という傾向を示していのかもしれないですね。

この日本特有の「自分色に染めたい」という感覚は、神道でいう「穢れ」という観念に繋がるのかもしれません。それを基準として考えると、日本人の持つ性質が具体的にわかってくるので、後天的な西洋式の思想がもたらす不具合についてももっと具体的に見えてきます。

人間至上主義か自然崇拝か

豊田　そういえば、どの神を信仰するかについても、日本人は取捨選択しますよね。神道の神々は、縄文時代の自然崇拝に由来しているわけですから、さまざまなものを好き勝手に信じていいのですが、弥生農耕の時代になると、村落共同体（Bauern（バウエルン）gemeinwesen（ゲマインヴェーゼン））の神が、固定してくる。いわゆる土産神（うぶすながみ）というもので、共同体の神様として祀（まつ）られます。

私事ですが、島根県で大学教授をやったものですから、古くからの神道が、今なお生きて機能している場面に何度も出会っています。地元の人が、直会（なおらい）という言葉を当たり前のように使うので驚かされました。直会とは、神事など儀式を終えたあと宴会などをすることですが、教授会のあとも「直会を」と言われると、地元でない人間はびっくりする。

また、島根県では、国体など、県を挙げた行事には、知事が参席しただけでは形式が整わない。必ず出雲大社の宮司さんが出席する。知事は、大和（日本政府）が任命した人だが、国譲りの神話の通り、今も潜在主権は出雲にあるわけです。そこで、出雲国造（いずもくにのみやつこ）の末裔である千家（せんげ）さんの当主が立ち会わないと、公式に認められない。今の千家さんの当主は、八十何代目かで、天皇家についで古い家柄です。地元では今も国造（くにぞう）さんと呼ばれて、敬われています。

規模は小さいのですが、各地の村々の鎮守様も、出雲大社と同じように、共同体の神(Community God)として敬われています。その他「八百万」というくらい、さまざまな神様がいるわけです。軍人なら八幡様、芸術家なら弁天様、学者なら天神様など、職掌別に神様がいるから、困らない。キリスト教で、それぞれの守護聖人がいるのは、もしかしたら多神教だった時代の記憶かもしれません。

ヤマザキ 日本の八百万の神、もののけではないけれども、見えないものからメッセージや倫理を感受するという性質は、21世紀の今日に至っても、いまだに多くの人のなかにあります。妖怪やお化けといった民間宗教的な要素もそうですね。南米アマゾンやアフリカの少数民族のように、かつての日本でも卑弥呼というシャーマンが指導者という立ち位置にあったのも、そもそも日本が自然の現象を圧倒的なものと捉えていたからでしょう。

日本人はそうした地理的条件のなかで自分たちの社会をうまく稼働させられる方法を試行錯誤し続けてきたわけですよね。卑弥呼という人は確かに指導的立場にいた人ではあっても、シャーマンという、目に見えない神の言葉を伝える代弁者であり、彼女自身が民衆のために犠牲を払ったり、戦ったりしたヒーロー・ヒロインではありません。卑弥呼の予言が当たらなくても、民衆はその責任を卑弥呼に課したりはしない。

すべては神の決めたことだと受け止める。

だいたいそんな感じだったんじゃないかと思うんですけど、それが戦国時代にヨーロッパからイエズス会の宣教師がやってきて、急にキリストというヒーローを中心軸に置いた宗教を使って統治を試みたところで、自然に身を委(ゆだ)ねて生きている日本人には違和感があったはずです。

豊田 日本の緑土率、つまり森林が国土に占める割合は約7割です。ヨーロッパにも自然はありますが、日本のように、自然が優位な国は珍しいでしょう。

神道で自然を神様にするのは、非常によくわかります。

ヤマザキ 日本には、本来ヨーロッパのような人間至上主義的なものがなかったと思うのです。人間は特別な生き物であるという啓蒙や思想が根づいていない。精神性の生物であるという意識はあっても、それが優勢だと自負していた気配はないですよね。そういう姿勢は和歌や絵画といった文化からも読み取れることです。日本の人は昔から、その他の動植物と同じように「人間」という種族を生きていた。

日本の庭園を見ても、手を加えてはいるのだけれど、自然への敬意が滲み出たアレンジになっている。日本庭園は植生の性質を認識しつつ形を整える。昔の日本家屋も襖を開け放てば風が通り抜け、窓の外の自然を主体にした造りになっている。しかしイタリアやフランスの庭は、手を入れて幾何学模様にしたり、極めて人工的な様子に整えていきますよね。日本人のように自然があっての人間ではなく、彼らにとっては自然も人間の統治下に置かれるものであり、地球における生態系のトップに君臨しているという自負に満ち満ちている。

豊田　そうですね。日本家屋の典型、京都の桂離宮なんか、贅を尽くして造られ、手間をかけて維持管理されているのに、まったくそう見えない。周囲の自然に溶けこんでいる。もし、フン族のアッチラ大王のような異民族の征服者がやってきたら、なんだ、この小汚い建物は！　叩き壊して夜営の薪にして燃やしてしまえ、などと考えるでしょう。日本は、文化の基層が異なる人々に征服されたことがない。同じ日本人同士の自然観が共有できるから、その美がわかるわけです。

ところで、ご子息のデルスさんの名前、ヤマザキさんの自然観が反映しているそうですね？

ヤマザキ　はい。ロシアの冒険家アルセーニエフが原作で黒澤明監督が撮った映画に『デルス・ウザーラ』という作品がありまして、主人公デルスは、そのなかに登場する森と一体化しながら生きてきた先住民です。私はこの作品が大好きなのですが、いずれ息子が人間社会という過酷なジャングルのなかで切羽詰まったときに、名前の由来を思い出してもらいたいと思ったのでその名前を選びました。生きていくうえで自分の味方につけるのは人間よりも地球そのものであってほしいと思ったからです。極東のアムール川流域に広がる大自然のなかでたった一人で生きているデルスは、地球と同化した人間であることは間違いありません。

圧倒的なヒーローの存在

ヤマザキ　先ほど、豊田さんが「日本は談合文化だ」とおっしゃっていたのが印象的でしたが、その根底には何度も繰り返していますが、やはり調和優先順位の心理が働きかけているのかもしれません。日本人はどちらかといえば、ススメバチが現れたらミツバチが集団でやってきて撃退する、というのと近いものがあります。「俺はちょっと思想がみんなと違うんで群れから抜けますわ」という個体がたくさん出てきたら困るわけです。自分たちの遺伝子を守れなくなるわけですからね。そう考えると、日本人は群性という社会的動物の本能に従おうとしている民族なんじゃないかと思います。

対してヨーロッパでは古代から弁証法という、人前で自らの思想を言語化し、それで民衆をまとめるという、ハチやアリとは違う次元の、精神性の生物ならではの群性を用いた社会統治ツールを用い続けてきました。

今回のパンデミックの間、報道番組を見ていて思ったことですが、アンゲラ・メルケル元首相に対して好印象を抱いた人がとても多かった。彼女についての書籍まで出たほどです。彼女は東ドイツの出身で、牧師の娘で、時代背景を考えても大変なかで政界を生き抜いてきたわけですが、その佇（たたず）まいはまるで近所の学校の気のいい校長先生のようです。弁論も威圧的ではなく「スーパーで荷物の搬入をしているあなた、ありがとう」なんてやさしく二人称で声をかける。

彼女はリーダーでありながら、自ら立ち位置を下げている。自意識も強く燃費も悪そうなトランプ元大統領みたいな人だと、大統領としての資質を考える以前に、日本という風土にはなかなかマッチングできないのでしょう。スキャンダルの発生を恐れないリーダーは、平穏無事な全体調和を求める国民にとってはなかなか手強いですから。

豊田　先ほどヤマザキさんもおっしゃっていた、「穢れ」の観念と繋がりそうですね。

ヤマザキ　そうですね。日本の人はどんな分野においても燃費の悪さを回避したいという傾向が強い。煙を噴出させながら大きな音を立てて稼働しているような人間にはみんな近寄りたくないでしょう。

先ほどの話に戻りますが、自分たちの周りではみなベルルスコーニを否定しているのに、結局毎回選ばれるのはなぜか、という話を義父と友人5、6人が集まって論議していたことがありました。彼らは集まればベルルスコーニの悪口大会になる。確かにベルルスコーニはイタリア南部など経済がうまく回っていない地域での支持率が圧倒的に高いのですが、報道では彼の取った行動を愚行扱いするニュースであふれている。それなのにまた選出されたとなると、「お前たち、まさか、陰でこっそりベルルスコーニに入れていないよな」などと確認し合っているわけです。「そんなわけないだろう」という答えが返ってきても、どこかに何か彼に対する嫉妬や妬みのようなものがあるのがわかる。「だけど、金さえあれば、俺だって美女11人と年越ししたいもんだよなぁ……」なんて言ってるわけです（笑）。

やはりそこには、猿山のボスがどう選ばれるかという、すごくプリミティブな心理が働いているように思えてならなかったんです。一神教のリーダーのように、自分にできないことをやってのける人間に惹かれてしまう精神性というのが、ヨーロッパでは圧倒的に強いのかもしれない。日本だったら考えられないかもしれないですけれど。

豊田さんもおっしゃっていた「神道」の精神性が根づいたうえでできている社会性を基軸に考えると、近代以降の日本において、どんな西洋化が合っていて、どんな西洋性が不具合を起こしているのかがよくわかってきます。

豊田　表面上はヨーロッパと同じように見える部分があるかもしれないけれど、日常を組み立てる方法が全然違うわけですね。

ヤマザキ　おっしゃる通り、根幹が違うんですよ。地球のグローバル化なんてことを誰もが推奨したがりますけど、地球という惑星はそう生やさしいもんじゃない。

今回、パンデミックという世界共通の問題に対して各国の対応による差異がくっきりはっきり表面化しましたけど、水際対策一つとっても国によって判断が全然違う。価値観の違いというのは本当に大きい。感染者の数値にしてもそれぞれの国の算出方法がまったく違います。それなのに、感染者の数を比べ合っても意味ないじゃん、といつもニュースを見ながら突っ込んでました。中枢の人たちがみんな頑張っているのはわかるんだけど、みんなどこか責任回避的な言い回しが多い。

豊田　やはり日本の場合、一人の人間にすべてが委ねられるという状況になると、国民が反対しますからね。

ヤマザキ　そういうことに気がついたのも、久々に日本に長期で滞在することになったからですね。1カ月ごとにイタリアと日本との往復を繰り返しているような暮らしでは、日本とじっくり向き合うこともありませんでしたから。それまで西洋を中心軸に表層面だけ舐めてああだこうだと意見していた自分を自省しました。

幕末のアヘン戦争勃発の流れで向き合ったイギリスの存在感やペリーの来航などで、西洋に対する焦燥感が発生したのは当然のことだと思います。欧米と肩を並べるために西洋化の必然を煽った明治維新以降の流れも社会の摂理だったと捉えられますが、正直まだ私たちはその試行錯誤の延長線上にあるだけなんじゃないかと思うわけです。世界大戦があり、高度成長期を経て経済大国となり、情報化がこれだけ進むなかで私のようにイタリアに拠点を持ちつつ日本で仕事をするような人間が現れる世の中です。

日本の今のあり方を見ていると、日本という基軸をそれでも保ちながら、西洋をしっかり受け止め、適応し、日本に相応しい進化を遂げてきたとは思うのですけど、まだどこかぎこちない。時間はもっとかかるでしょうね。

文化人類学者たちが指摘するように、世界のあらゆる地域における西洋中心主義的な考え方も、それぞれの民族の独自性が象られた地質学的見解を重視しつつ、ここでいったんしっかり見直すべきなのかもしれません。

第4章

宗教とエンターテインメントと政治を考える

「統一」の勘違い

豊田 若い頃の話ですが、「韓国で統一のシンポジウムがあるので行きませんか？」と誘われたことがあります。韓国なだけに、「統一」といえば「北朝鮮と韓国の統一のことだ」と直感的に思い、現地の軍事専門家たちの意見を聞けたらと、「往復の旅費は持ちます」という言葉にも釣られ、行ってみることにしました。

韓国に着き、指定された場所に向かうと、レセプションに若い日本人女性がたくさんいました。よくよく見ると「合同結婚式」と書いてあり、「何か雰囲気が違うな」と。その後、翌日のシンポジウムのプログラムを見てみると、「サタン」という文字が目に留まりました。そこでギャッとなり、「なんだこれは」と周囲に聞いてみたところ、統一教会（当時）だ、と（笑）。

ヤマザキ 「統一」違いだったんですね（笑）。

豊田 「統一教会の息がかかっている作家だ」と思われるとマズいので、急いで帰国しようと思ったのですが、あいにくパスポートを預けてしまっていて。

3泊の予定でしたが、ホテルのフロントに駆け込み、「母親が危篤だから帰国しなければいけない」「パスポートを返してくれ」と訴え、すぐに飛行場に向かい、なんとか1泊で逃げ帰ってきました。

ヤマザキ　豊田さんは、いったい何が目的でそこに誘われたんですかね。

豊田　名前が知られている人を取り込もう、というところじゃないですか。誘われていたのは私だけではなかったので、そのままついていってしまった人もいると思います。顔見知りだった科学評論家の一人は、残りましたからね。

統一教会と同じく文鮮明（ムンソンミョン）を教祖とする保守系政治団体の「国際勝共連合」（1968年設立）にも同じことがいえると思いますが、おそらく戦後の岸信介総理大臣の時代は、完全に信徒というわけではないけれど、「共産主義をこの世から一掃したい」という立ち位置は同じだったわけです。なので、宗教団体は票になるだろうという下心があり、その頃からの腐れ縁なのでしょうね。

前にも触れましたが、旧統一教会の問題は左翼全盛という時代相を考えないといけない。明日にもプロレタリア革命が起こりかねない危機感があったから、旗色の悪い保守陣営としては味方が欲しかったのです。政治家の場合、選挙などで候補者を立てるときは、いわゆる身体検査を行いますが、支持者をいちいちフィルターにかけるわけではない。政治というのは、清濁併せ呑む、という世界ですから、いわばボランティアで手伝ってくれる相手とは、表面上は繋がります。旧統一教会（当時）のほうも、私のような小説家にさえ、取り込もうとして触手を伸ばしてくるくらいですから、有力な政治家と見れば、なんとか利用しようとかかる。

最近の報道でおかしいのは、政治テロの犯人に、同情するような風潮がメインになっている。テロに倒れた安倍さんにも非があったかのような扱いすらある。あの時点で、旧統一教会に問題があったにしても、訴追されているわけでもないし、起訴されているわけでもない。捜査線上にのぼっていたわけでもない。そうした団体と表面上の付き合いをすることが、どこが悪いのか。政治テロの犯人を、免責にしろとでもいうつもりなのか。

問題が政争化しています。政治家がこの団体の行事に参加したかどうかなど、そればかりに目が行きすぎている。この団体の本質が、忘れられてしまう。文鮮明の狙いは、どんな手段を弄してでも、日本から金を取ることだった。反共というスローガンで、当時の岸信介総理などを丸め込んだわけですが、本質は反日団体です。その証拠に、霊感商法などは韓国内では行っていない。騙された日本人信者の莫大な献金が韓国へ渡っている。しかも、その反共も詐術でしかなかったのです。文は、密かに北朝鮮の金日成とも親交を結んでいました。政治家を追及するのに、汲々とするのはやめにして、この団体がしでかしたことを徹底的に暴いて、対処することが必要でしょう。

また、被害者の救済は確かに必要なのですが、本人が自由意思で行った献金など、どうやって取り戻すのか、宗教法人が隠れ蓑になっていますから、難しい問題です。昔は近親者が、一定の家族を禁治産者に指定することができたのですが、今は人権の問題で、この制度は廃止されたようです。

名称だけではわからないものです。「日韓トンネル研究会」という組織にも入っていましたが、「日韓トンネル」というくらいですから、対馬海峡にトンネルを掘れば行き来できるという話で、「それはいいことだな」と思ったけれど、それも旧統一教会が関わっていたんですね。

そんなふうに、包囲網があちらこちらに張り巡らせてある。その因縁が2022年7月に起こった安倍晋三元首相の襲撃事件まで続いていた、ということでしょうか。

ヤマザキ なるほど。かつては共有できていたはずの価値観も変化していくのに、腐れ縁という状況に進展すると、怠ったメンテナンスがいろいろな形で出てきてしまうということですね。時代の流れとともに生ずる方向性のすれ違いには気をつけないといけない、ということですかね。

日本人は宗教に免疫がない？

豊田　思い出すのは、友人だった景山民夫さんのことです。「幸福の科学」に入り、その後亡くなりましたけれど、直木賞を獲得するなど才能にあふれた方だったので、宗教の世界に身を投じなくてもいいのに、と思っていました。やはり宗教団体は怖いところだな、と改めて感じます。

ヤマザキ　人っていうのは、何かにすがって集団にならないと落ち着かない生き物なんですよ。よくよく考えてみれば、自分は一人で大丈夫と言い切れる人なんてどれくらいいるんだろう。すがる対象となる群れはどんなものでもいいんですよ。宗教、エンタメ、スポーツ、お祭り、政治。人というのは必ずこうした群れのどれかに帰属する性質を持っています。

特に宗教とエンタメと政治というのは、圧倒的な影響力を持っている。今の韓国なんてまさにこの三つが合体したのに近い状態にあるのかもしれません。たとえば私は芸能界には疎い(うと)のですが、韓流スターに国策的意図が絡んでいるのは素人目にもわかります。

私も、長い間仲良くしていた人から突然、特定の政党に投票してほしいと電話をもらったことがあります。思いがけないことだったので、驚きました。知らずに付き合っていたけれど、「実はそうだったんだ」とあとでわかることもあります。だからまあ、その人との仲が険悪になるわけではないのだけれど、それまでの気楽さで付き合うことはもうできないですよね。自分の群れを大きくしたいのはわかるけど、それはそれ、これはこれ。

豊田 先ほどの話にも繋がりますが、日本人は「自分たちは無宗教だ」と思っている節があるため、逆に宗教に対する免疫みたいなものがないのかもしれませんね。多くの文化人類学者が、疫病と宗教の類似について分析していますが、発生の初期には、強烈な影響力を持っていても、発生地から離れたり、時代が経つにつれて、弱毒化していきます。日本が遭遇したときのキリスト教は、イスラム教徒を駆逐して、大航海時代に突入したイベリア半島からきた。ザビエルはバスク人ですが、イエズス会の騎士イグナチウス・ロヨラと親交が深かったから戦闘的です。日本側も南蛮貿易の利を得たかった。最盛時には、150万人のキリスト教の信徒がいたそうです。しかし、根づかなかったのは、やはり一神教の持つ偏狭さに抵抗があったからでしょう。仏教寺院や仏像を焼くという偶像破壊（iconoclasm イコノクラスム）を強要したり、信徒でない日本人を奴隷として売ったりする方針が、支持されなかった。神道というい加減な宗教を信じていた日本人には、違和感のほうが大きかったということでしょう。温和な日本人としては珍しく、信徒の拷問、処刑などを強行したのも、ある種の危機感を覚えたからでしょう。

ヤマザキ　確かに神道というのは、ヨーロッパや中東のように、宗教と政治の関係性がはっきり見えている宗教ではありませんからね。宗教との距離感という意味でいうと、たとえば東京の美術館でルネサンス美術の展覧会なんかがあると、みなさん「宗教画の見方がわからない。自分たちとは関係のない世界なので」ということを言いますが、宗教というのが気負いの対象になっていることがわかります。

先ほどお話しした友人が支持する宗教には、信者の方のなかにタレントとして芸能界で活躍している人たちもいるのですが、エンターテインメントを宗教的理念や思想のために使おう、群衆統括の手段にしよう、というは古代のシャーマニズムの原則に繋がっていますね。

たとえばライブ会場などに行くと、一人のスターに対し観客が一心同体になって心を動かされている状況を見ていると、ああこれはシャーマニズムのトランスってやつに近いな、なんてことを思うわけです。楽しく満たしてあげながら洗脳するにはもってこいの手段ですよ。国家宗教団体がそんな彼らを政治力として使わないわけにはいかないでしょう。

豊田　そうやって信者を増やしていくわけですからね。

国家にはイベントオリエンテーションが必要だ

ヤマザキ　この話をしていて、古代ローマの皇帝ネロのことを思い浮かべました。

一般的に暴君として描かれることの多い人物ですが、私は漫画『プリニウス』のなかで、ネロをなるべく暴君という既成概念に囚（とら）われない描き方をしました。あの人は政治家でありながらも、どこか自分の偶像に乗っ取られて破綻した芸能人や歌手みたいなところがある。それに今でいう毒親の影響も受けてしまった、哀れさがある。ネロ自身は頭が良い人だったと思うんですよ。人間は生理的空腹だけを満たせばいいのではない、精神性の生き物であるということがよくわかっていた。パンを与えているだけではダメ、心に栄養素が送り込まれていない人間に成長はない、ということをわかっていたからこそ、自分がエンターテイナーとなって劇場で歌を歌い、ギリシャ悲劇を演じ、自らスター選手という演出で、負けても勝利者、という強引な運動会まで開いていた。

実際ネロは若いし、ローマの大火があったときも、後世の歴史家によって犯人なんかに仕立て上げられてしまったけど、実際はそうではなく、被害を被（こうむ）った人のために尽力していたんです。そんな人格者としての側面もあったネロは大衆に人気があった。しかも、元老院はネロをうまく操るために、彼が人気者のエンターテイナーであることを信じ込ませた。ネロは政治的権力を持ったマイケル・ジャクソンのようなことになっていたわけです。歌はジャイアンなみに下手くそだったようですが、それでもエンターテインメントの場を盛り上げることに、大きな統括力を見出していた。現代もその傾向は引き継がれているのですから、着眼点は間違ってないと思います。

豊田　ヤマザキさんのような方の前で言うのも恥ずかしいのですが、私も50年前、ネロについて書こうと思って、ラテン語の辞書を買ってきたりしました。処女長編SF『モンゴルの残光』（1967年、早川書房）を出したばかりの頃でした。モンゴル人が世界を征服して、黄色人種と白色人種の地位が入れ替わってしまったようなパラレルワールドSFです。次回作として、そのヨーロッパ版、ヨーロッパがキリスト教化しなかった世界というのを構想して、歴史の分岐点をネロの時代に置こうと考えた。

ネロの伝記を読んだところ、単なる暴君ではない。ローマ文明の原点がヘレニズム世界にあることを知っていて、ギリシャにも行幸しているし、オリンピックを復活させています。後にヨーロッパ全体がキリスト教化したから、ネロは評判が悪いわけですが、彼の時代にはコロッセオ（円形闘技場）はまだなかった。それなのに、キリスト教徒をコロッセオに引き出してライオンに食わせたかのようなイメージばかりが先行している。当時のキリスト教は、ローマの体制側から見ればカルトだったわけでしょう。しかし、結局は書けませんでした。イタリア取材が不可欠でしたが、取材費が伴わなかった。

ヤマザキ　残念です。豊田さんのお書きになるネロも読んでみたかった。そういえば昨夏、2年半ぶりにイタリアに戻った際に、イタリアの家族が「また日本に行きたい！」と連呼するのです。「なぜ、そんなにも日本に行きたいの？」と聞いてみると、「だって、日本には毎日楽しいことがあるじゃない。日常的にコンサートもアミューズメントパークもあって、あんなに楽しい国は他にない」と。確かに、イタリアには日本ほどのエンタメはありません。

時々、ミュージシャンがコンサートを開いていますが、日本のように全国50カ所でツアーを組むようなこともない。いつでも気軽に楽しめるエンタメといえば、映画くらいです。

なぜ、日本にはこんなにもエンタメがあふれているのか。よくよく考えてみると、日本はそれだけストレス社会だということが理由として挙げられると思います。ストレスを溜め込んでいるため、発散のツールとしてのエンタメの需要が高いのかと。

イタリア人を見ていると、日常的に知人や友人たちを自宅に招き、自分が話したいことを好きなだけ話し、喧嘩し、常にエネルギーを放出しまくりながら過ごしているので、日本のようなストレスの溜め込み方はしていないように思います。ストレスがある人はもちろんいるけれど、その発散の仕方はもっと身近なところにある。ドライブ、散歩、友人たちと会食……彼らには会社の帰りに同僚だけで飲んで喋って発散する、という習慣もないですからね。

そういう面でも、キリスト教の倫理性が行き渡る以前のローマのほうが、今の日本に近かったのかもしれません。トラヤヌスという皇帝が統治していた頃のローマの領地は史上最大でしたが、その当時ローマ市内だけで１０００軒もの浴場があったといわれています。お風呂もまたストレスを癒やすためのもの。エンタメとリラクゼーションに価値が置かれていたという意味では、今の日本と似ていると思います。

豊田 日本で万博が開催された際、ＳＦ作家仲間だった小松左京がよく口にしていたのは、「国家にはイベントオリエンテーションがないと駄目だ」ということでした。まさにその言葉を思い出します。

ヤマザキ 国家がどのような体質のものかによるとも思うのですが、日本のように調和重視の社会では、イベントオリエンテーションを通じての感動の集団共有は確かに必要不可欠なのかもしれません。

コロナ禍により、コンサートやイベントなどのキャンセルが相次ぎましたが、日本人はずっとそれらを頼りにして生きていたので、コロナ禍でロックダウンを受けた他の国よりもダメージが大きかったと思います。コンサートを開催する側も大変でしたが、それを必要とする聴衆側のダメージのほうも相当大きかったはず。結果、ストレスの吐け口がSNSなどのほうに向けられて、バーチャル次元での治安が悪くなっていった。ハロウィンやクリスマスなど自分たちと関係ない宗教祭事に日本人が盛り上がりたくなるのも、要するに集団でエネルギーが蓄えられるお祭りが必要だからなんでしょうね。

豊田　神道についても同じことが言えますね。たとえば相撲もそうですし、神楽(かぐら)もそうです。「神様に捧げる」というのは口実で、イベントオリエンテーションが必要だったということなのだと思います。そうした意味で「神社」は、今でいう公会堂、演芸場、宴会場のような場所だったのかもしれません。日本人は昔から何も変わっていないのですね。

ヤマザキ　そうですね。私は実はライブ会場というのが苦手でして。音楽を生で聴きたいとは思うのですが、会場に集まっている大勢の観客と一体化することに抵抗を感じてしまう。コンサートというのは、そもそも演奏者と観客が一体化して然るべきところだとわかってはいるのですが、いざその場にいるとメッカの巡礼やケチャダンスのような宗教儀式に参加しているような気分になってしまうんです。

エンタメ業界というのは、感動で集団を形成する必要のある人間たちと、群れを作れる力を持った表現者によって経済を回しているわけですから、群れに抵抗を感じている私のようなのが増えてしまっては困りますよね。エンタメは国力の肉付けとして必要不可欠なものなんだと思います。世界で人気を集めることのできるスターを輩出している韓国なんかを見ていてもそう思うし、興行大国アメリカもそういうことですよね。

豊田　韓国の場合、エンタメ業界に限らず、他の産業界もそうですけれど、ノウハウは日本から得ているようです。日本で一度形になっているものを真似して展開していけば、初期段階で対峙せざるを得ない、ありとあらゆる試行錯誤をパスすることができますから。

世界的に人気のＢＴＳも、グループで売り出していますよね。日本の芸能プロダクションが始めた男性グループをモデルに、徹底的にダンスを仕込み、ショーアップしている。だからこそ、BTSは韓国でデビューしてすぐに、日本でもメジャーデビューするんです。

ヤマザキ　そのバックアップに政府は力を貸しているのでしょうか。

豊田　政府は、ありとあらゆる段階で力を貸していますよ。政府の支え方は強固なものであると感じます。国威発揚に繋がることには、韓国政府も熱心です。ひるがえって日本はどうかというと、民間のことに政府が冷たいような気がします。その昔、所得倍増政策で有名な池田勇人総理がフランスを訪れたとき、当時のド・ゴール大統領から、トランジスタラジオのセールスマンのようだと評されました。このことは、多くの日本人の心にぐさっと突き刺さりました。そのせいか、以後、政治家、官僚など、民間のことに立ち入らないことをもってよしとする風潮が生まれた。妙に民間のことにかかわって、癒着などと痛くもない肚（はら）を探られてもつまらないという自制が働くようです。

最近では、トヨタ自動車がアメリカで理由もなく欠陥車扱いされたとき、政界、官界から、なんの援護射撃もなかった。結局、豊田章男社長がアメリカに乗り込んで堂々と説明し、疑惑を晴らし、ことなきを得ました。これは産業界の話ですが、芸能界でも同様だと思います。日本でもクールジャパンなどという戦略が立てられ、それなりに動いているようですが、うまくいっていないのではないでしょうか。マンガ、アニメなどの国際的な日本ブームは、ひとえに民間の努力のたまものでしょう。

産業界でも芸能界でも、韓国は日本の後追いをしているようですが、その代わり、失敗がない。日本では、芸能でも産業でも、世に出す前に多くの失敗を重ね、試行錯誤したわけですが、韓国はその結果だけを取って、うまくアレンジしてから送り出すわけです。韓国の芸能プロダクションは、日本の芸能プロから多くのノウハウを学んでいます。

韓国では昔から、南男北女（ナムナムプンニョ）といいます。東男に京女（あずまおとこにきょうおんな）みたいなもので、北朝鮮は美人が多く、韓国は美男が多いそうです。そういう意味では、イケメンのBTSは伝統にのっとっているといえるかもしれません。

ヤマザキ 小松さんの「イベントオリエンテーション」という言葉にまさに合致します。BTSが売れなくなる日が来たとしても、もう次のグループが用意されているというのを聞いたことがありますが、そんな内部事情が顕在化したところで民衆が次のグループに動かされてしまうところが、韓国のイベントオリエンテーションパワーなのかもしれません。

“ずる賢い”は知恵者の証し

豊田　先ほどの宗教の話に話題を戻すと、イタリアには、あれだけカトリックの倫理観が根づいているわけですから、いわゆる「カルト」はないのでしょうか。

ヤマザキ　あるとは思いますが、土着的なカルトはあまり思い浮かびません。カトリック教国でありながらも、あんなに猜疑心に満ち満ちた国民を私は知りません。カトリックでありながら、自分たちの帰属するこの宗教を俯瞰して見ている人たちは少なくありません。そもそもキリスト教民主党と共産党が支持率を競っていた時代があるくらいですから、そういうところなんです。南部などの経済事情が悪い地域は別ですが、知識層が増える北側へ行けば行くほどそういう性質の人は増えてくる。ただ生まれて幼児洗礼を受け、死ねばカトリックの方式で埋葬されますが、教会で結婚式をしないカップルはたくさんいます。カトリックの倫理に懐疑的な人は、なるべく宗教的儀式が絡まない生き方をしています。

信じる、という言葉が美徳ではないというのは大きいですね。何かに騙されてもそれに同情してくれる人はいない。騙されたお前が悪い。私はイタリアのこうした歪みと相性が良かったのです。

子供の頃、絵描きさんになりたいと母に告げましたら『フランダースの犬』を手渡されました。自身も音楽家として苦労を積んできた母は、『フランダースの犬』の悲劇的な結末を読めば、経済生産性のない芸術のような仕事を生業とすることの大変さが身に染みてわかり、夢を諦めるだろうと考えたのでしょう。

ネロが犬とともに亡くなったページにたどり着いたとき、母は心外そうな表情をしていた私に「かわいそうでしょ。絵描きになるのって本当に大変だよね」と呟いたそうなんですが、私はそれに同調せず、まず犬がかわいそうだと言ったそうです。そして、なぜこんな寒いところから出ていかなかったんだろう、と不思議がる私に「ああ、絵描き諦め作戦は失敗だった」と感じたそうです。

なにせ『フランダースの犬』と並行して私が読んでいたのが、『アラビアンナイト』

です。『アラビアンナイト』の登場人物は狡猾に頭脳を駆使し、生命力を謳歌しながら、この世の中を渡っている。ずる賢くこの世を渡っていくことで得られるメリットのほうが大きいというメッセージを受け取った私には、教会のルーベンスの絵の前で凍え死ぬ子供には感情移入できなかったのです。その後、エジプトやシリアでの暮らしでも痛感しましたが、アラブ諸国や地中海諸国で暮らす人々は、やはり狡猾であることは美徳なんです。

豊田 知恵を駆使して相手の不意をつく。それは人間の本源的なものですね。『日本書紀』や『古事記』を見ていると、神武天皇だって和平と見せかけて騙し討ちにするシーンなどがあり、面白いなと感じることがあります。はっきりいって、「騙されるほうが悪い」という考えです。

いつも不思議に感じるのですが、今の日本人はなぜこんなにおめでたい考えの民族になってしまったのでしょう。

古代の頃は、ずる賢いくらいが「知恵者」とされていたわけです。たとえば日本神話では、女装した10代のヤマトタケルが九州の部族長クマソタケルを短刀でグサッと刺したという話がありますが、考えてみれば卑怯な話ですよね。

ヤマザキ　そうですね。騙し騙され、といった物語はかつて山のようにありました。それが、明治維新後の文化や教育の西洋化によって、落語の世界などで垣間見えるような日本的狡猾さが払拭されていくようになった。人間はとにかく正直でなければならない、という姿勢が確立していった。さらに戦後、憲法第九条の設定によって、アメリカが推奨する、嘘もつかなければ信じることを美徳とする〝正しい人間のあり方〟が広まり、狡さや疑念はますます悪徳的なニュアンスを含むようになっていったように思います。狡さや疑念には知恵が必要ですから、私にしてみればこの〝正しい人のあり方〟もある種の知性の抑制に思われます。

人間を侮ってはいけない

豊田　卑怯な例として、もう一つ思い出しました。
　ヤマトタケルが出雲を征服しようとする際、まず出雲の王様と仲良くなるわけです。そして一緒に水浴びに行こうと誘い出します。ヤマトタケル自身は、ちゃんと本物に見える木の剣を携えている。

二人は裸で仲良く泳いでいるわけですが、水から上がる際、ヤマトタケルはその出雲の王様の剣を引き抜くんです。出雲の王様はびっくりしてヤマトタケルの剣を抜こうとします。ところがそれは木剣だから抜けない。それであえなく殺されてしまう。こんな卑怯な話はないですよね。騙される奴のほうが悪いんだ、と。

ヤマザキ　きちんとそういう話がかつてはあったわけですよね。古代の寓話にもそういうのはよくあります。ギリシャ神話もしかり。

豊田　そうですよね。私もギリシャ神話でもこのような話を耳にしたことがあるな、という気がしていました。

ヤマザキ　そもそも人間という生物自体、得体（えたい）が知れないわけですから、なんでもかんでも信じていると、ろくなことがないよという教訓ですね。信じる、ということはその他の可能性への憶測や想像力を放棄する、怠惰性ともいえます。しかも、裏切られた場合は、その責任は自分にはない。

先ほどのイベントオリエンテーションやライブなどのイベントもそうですが、あの場に醸し出される空気にも信仰的要素が私には感じられます。ボブ・ディランがそれまでのプロテストソングではなくロックの要素の強いライブを披露したら、罵声が飛びまくるというドキュメンタリーを見たことがあります。信仰というのは簡単に凶暴性も帯びる。信じるというのは怖いことなんですよ。

豊田 今の日本は、何もかもが綺麗事になってしまっている気がしますね。なぜこんなことになったのでしょう。神道の穢れを忌むという信条が暴走したのかもしれません。

ヤマザキ やはり社会の西洋化とキリスト教的倫理がもたらしたものなんじゃないでしょうかね。もちろん理想は信じる心が報いられる社会ですけれど、何度も言いますが、人間はそんなに高尚で素晴らしい生物だとは思わないので、まあ無理でしょう。

私は漫画『プリニウス』でキリスト教の原始を描きましたが、当時の社会にとって過激で危ない新興宗教という扱いで描いたところ、キリスト教の熱心な信者さんには「なんであんな表現をするんですか」と言われたことがあります。

豊田 皇帝ネロの時代のキリスト教はきっと、いってみればカルトみたいなものだったのでしょう。

ヤマザキ そうですね。新興宗教ですから、完全にカルトの領域でしょう。ネロにしてみればパンとサーカスで社会の統治がうまくいっているところにこんなものが入ってきて、人々を扇動していったら大変なことになる、という危機意識があったのは確かです。考えてみたら、キリスト教には古代ローマ社会に根づいていた階級制や人種差別的な要素を払拭し、神の愛はすべての人に対して同等、ということを提唱している。「愛」という言葉が社会に疲弊し、何かに救われたいと思う人々による大きな群れを形成しつつある。社会が世知辛(せちがら)くなればなるほど、自分の存在を慮(おもんぱか)ってくれる声の方に傾く人間は増えるでしょう。

日本の場合は徐々にキリスト教的倫理を吸収していったうえ、戦後はアメリカの影響を受けて、統治者たちがそれを推奨していたので、誰もそれを不自然な現象だとは取り沙汰しませんでした。けれど、古代ローマ時代においては皇帝や元老院がそんな新思想のはびこりを黙って見過ごすことはあり得ないでしょう。

にしても、キリスト教という宗教の力はすごいですね。最初はカルトと捉えられていたのに、今じゃ宗教人口ランキング1位ですからね。信者の総数は20億を超えています。ネロの時代、キリスト教をカルト扱いしていた古代ローマ人たちが知ったらびっくりするはずです。

宗教と救いの言葉

豊田　キリスト教が古代ローマ帝国で公認されたのは、313年、コンスタンティヌス1世の時代ですよね。

ヤマザキ　はい、ミラノ勅令ですね。ローマは末期に向けて軍人皇帝が即位しては殺されの繰り返しが続く殺伐とした状況に陥り、古代ローマという巨大な社会を統制できるリーダーがなかなか現れなくなっていきました。コンスタンティヌスに至るまでの50年間、交代した皇帝の数は18人。そのうち自然死できた人数はごくわずか、という殺伐とした時代です。

古代ローマの1000年の歴史には、人類という社会性の生物の生き方がだいたいすべて盛り込まれていると思うのですが、巨大化した領地を統治する難しさというのをこのあたりの時代を追っていると痛感させられます。皇帝の目の届かないような辺境の果てでは、その地域なりの不平不満や新たな思想が生まれてしまうのは必至です。あの時代の人々は、敗戦直後の日本ではないですけれど、何を信じ、何にすがればいいのかわからない、そんな人々にキリスト教の「人間は殺し合ってはいけません」「大切なのは愛です」という言葉は大きな救いとなったはずです。

歴史書に記されている皇帝ネロによるキリスト教徒迫害については諸説異論もありますが、その後、五賢帝(※)の一人である哲学皇帝マルクス・アウレリウス・アントニヌスもまたキリスト教信者の迫害を行っています。マルクス・アウレリウスは哲学皇帝といわれるだけあって聡明でとても頭が良い人でした。彼は、キリスト教の力が及ぶことに対してそれまでにない危機感のようなものを感じていたのだと思います。そもそも皇帝を否定して神を信じろという論理も、それまでの社会統治構造を崩すリスクでしかありませんし、キリスト教を〝真の哲学〟として異教徒を改宗させる人物まで現れた。そんな状況を手放しで見ているわけにはいきません。

キリスト教というのは、やはり生きることの難しさと向き合わされている人々にとって救いになる言葉であふれていますし、死生観についてもそれまでのローマの考え方よりも、一般の人には受け入れやすかったんだと思います。

自殺を罪とするキリスト教的考え方は、現在ごく当たり前に我々の世界に浸透していますが、古代ローマでは自死は罪ではありませんでした。

先述したように、古代ローマでは生きている間よりも死後どれだけ重要であり続けられるかという価値観がありますし、自らの誇りを貫くことが自殺の理由になっていたりしたのは日本と共通するところがありますね。

現代でも、無宗教の国ほど自殺率が高いという統計が出ています。生まれてきたことを肯定してくれるキリスト教は、やはり人々にとって救いの宗教だったともいえるでしょうね。しかも、古代ローマでは死者は火葬されていたのが、キリスト教になると土葬です。土葬というのは復活の可能性を与えてくれるわけですが、そうすると生きている人にとっても、自分にやがて訪れる死に対する恐怖心がなくなるでしょうからね。

ちなみに、昨今のイタリアの社会問題として挙げられるのが、墓地の土地です。土葬として埋葬するスペースが圧倒的に足りなくなっている。先ほども話したように、コロナ禍前は、火葬については生前に本人自ら火葬を認める証明書を残しておかなければ、火葬はしてもらえませんでした。火葬を認めるサインをしたところで、いざ本人が亡くなると、今度は家族が「やっぱりやめてほしい」と大騒ぎをするケースも多々ありました。でも、コロナ禍において死は突然現実的な扱いとなった。イタリアでは、宗教はやはり状況によって客観視されているということですね。

豊田　日本の天皇で最初に火葬されたのは、７０２年に亡くなった持統天皇です。火葬自体は6世紀から行われていて、広く普及していったわけですね。

日本では、歴史に名を馳せた人で宗教に囚われ続けた人ってあまり思い浮かばないですね。日本は、歴代天皇、為政者、仏教には帰依しているんですが、のめりこんではいない。摂政として聖徳太子は仏教興隆策をとるのですが、推古女帝が、この国の神祇も疎かにしてはならないという詔勅を出して、釘を刺しています。足利義満の金閣寺にしても、芸術的な価値はともかく、ヨーロッパや中国の為政者の壮大なモニュメントと比べれば可愛いものです。日本の宗教が熱狂的になるのは、初期ローマのキリスト教のように、反体制の側にいるときです。平清盛は祇園社（現在の八坂神社）や延暦寺と対立していますし、織田信長も比叡山焼き討ち、一向宗弾圧など、宗教には厳しかった。その信長も、キリスト教には好意的でした。

宗教を利用しようとしたのが、明治政府です。江戸時代、朝廷はずっと休眠状態に置かれていたから、いざ王政復古となって、一般庶民は天朝様（天皇）の世になったといわれても、わけがわからない。さすがに宗教音痴の日本人も、なんらかの宗教的なバックボーンが必要だと悟った。欧米にはキリスト教がある。今から日本人をみんなキリスト教にするわけにもいかない。そこで欧米にならって、国家神道というものを考えたのです。伊勢神宮をバチカンのような地位に置いて、全国の神社に格を設けて、神社本庁に統括させて、宗教的な支柱にしようとした。これが付け焼刃にしても、国民の求心力を保つためには案外うまくいった。欧米では、結婚式は教会でやる。それなら、日本では神社でやろうということになり、大正時代から神前結婚が普及した。これは日本人の知恵のようなもので、キリスト教の模造品(シミュラークル)として採用されたわけですが、狂信的な人というのは、あまりいない。

ヤマザキ　確かに、大友宗麟(そうりん)のようなキリシタン大名の名前が何人か浮かぶ程度ですね。八百万の神が住まう森羅万象の国では、宗教という思想よりも、民間信仰のようなもののほうが強い影響力があったということでしょう。土着の民間宗教というのは伝承、つまりクチコミですから、一人のリーダーが現れて座敷童子(ざしきわらし)はなぜ現れたり消えたりするのかを説明してくれるわけではありません。社会的統括力にはならない。お盆になるとあの世からやってくるご先祖様のために集まりはしますけど、そのしきたりがキリスト教やイスラム教のように法や戒律に組み込まれるようなことはありません。だから、繰り返しますが、群れによる安心感が必要な人は、ライブやスポーツ観戦、テレビやSNSのようなバーチャルの空間が、日本では重要になってくるのでしょう。

※ネルウァ（在位96～98年）、トラヤヌス（在位98～117年）、ハドリアヌス（在位117～138年）、アントニヌス・ピウス（在位138～161年）、マルクス・アウレリウス（在位161～180年）の5人。

人間は得体の知れない生き物だ

豊田　先ほどギリシャ神話には「泥棒の神」がいる、というお話がありましたが、かつての日本でも泥棒はそれほど重い罪ではないとされてきました。もちろん殺人を犯せば罪になりますが、盗まれた人が自分の力では防げなかったともいえるわけで、防がないほうが悪いという見方もできます。

ヤマザキ　泥棒の神が存在していたということだけで、倫理というのがいかに不完全なものかがよくわかりますね。

豊田　日本では物を盗むのは悪い行為とされていますが、物を盗むことをそれほど悪いことではないと思っている民族はたくさんいますから。

ヤマザキ　先ほどの信頼の話ではありませんが、落語なんかを聞いていると、盗まれたほうが悪いと思う人はたくさんいるようですし、あの時代はまだ「人間」というものに対し、理想理念で盛り付けることをしない、砕けた見方をしていたと感じます。

完成度の高い〝倫理の結晶体〟のような生き方など誰もしていなかったし、そんなのはむしろ人間ではない、ということでしょう。精神性の生物であるホモ・サピエンスというのは、地球上の生命体のなかで一番得体の知れない生き物ですから。他の動物は本能に従うだけの生き方をしているので、知性に翻弄されて疲れている私たち人間は、彼らの行動を見て癒やされたりするんでしょうね。ＳＮＳで動物の動画ばかり見てしまうのもそのせいですよ。

豊田　一度物を手放し、自分の範囲内から離れたところに置けば、それで所有権を放棄したことになる、という文化もあるくらいです。

ヤマザキ　そうですね。私がイタリアに渡ったばかりの頃、母が私のもとにやってきたことがありました。ヴィオラ奏者だった母は、日本では子供たちにバイオリンも教えていたため、子供たちに頼まれイタリアの知り合いから何台か楽器を買ったんです。複数のバイオリンを持ち歩くのは、それなりに荷物になるわけです。「一度にそんなに買おうとするなんて大間違いだ」と言うと、「いや、みんなが待っているから、なんとしてでもいっぺんに持って帰らなければ」と意地を張る。

そして案の定、ミラノの駅で置き引きに遭ってしまったのです。楽器に気を取られるあまり、お金や飛行機のチケット、パスポート、その他の重要書類の入った鞄を盗まれてしまった。次の日、ミラノを発つ予定でしたが、帰国することができなくなってしまったんです。母も私も落ち込みましたが、母はやはり自分に非があったことが痛かったらしい。

でも、盗んだ人を恨んだり憎んだりすることはありませんでした。「盗んだ人の気持ちは確かに私にもわかる。そりゃ盗みたくなるでしょ、こんな大荷物を一人で抱えている女を見たら」とも口にしていましたが、とにかくすさまじく反省していました。

ネズミ小僧と怪盗ルパン

豊田　私の父も一度スリに遭い、財布を盗られたことがありましたが、まったく気がつかなかった、と。「うまく盗るものだな」とむしろ反省していました。江戸時代は、スリは「技術者」とされていましたからね。

「大岡裁き」でも、そんなシーンがありましたね。江戸中のスリを家業として認める、と。そうするとスリがみんな江戸に集まってくるわけです。お奉行様が認めてくれる、「私はスリです」と書いてある大きな看板があり、これを担いで堂々とやれ、と。

ヤマザキ　ネズミ小僧も怪盗ルパンも同じですね。たくさん稼いでいる人からお金を盗み、分配するのは決して悪いことではない。

豊田　大名屋敷は、盗みに入られたとわかっても、絶対に届けなかったそうです。それがわかっていたから、ネズミ小僧は大名屋敷を狙ったんですね。大名屋敷の側からすれば、盗みに入られたのは自分たちの不始末のせい。だから届けない。

ヤマザキ　そうですね。「泥棒」というのは、私たちの捉え方によって価値観が変化するという、非常にわかりやすい例だと思います。先ほども言ったように、イタリアでも中東でも狭いことは必ずしも悪ではないですから。

豊田　日本は、物事をきちんとしないと気が済まないところがあり、そのためにおかしな法律ができたり、変な規則ができたり、モラルといわれるものができたりして、がんじがらめで身動きが取れなくなっている。もっと大雑把でいいのではないか、と思います。特に、自由業である我々はそう思いますよね。

ヤマザキ　ルールや法律の規制を厳しくさせることで、想像力や知性の自由を抑え込む効果もありますから、やはり円滑かつまとめやすい群れを構成させるためには必要なことなんでしょうね。でもって、民衆もまた、怠惰というか、省エネというか、言われたことに従うほうが楽ができますから。いちいち疑念を持って食いかかっていったらエネルギーも持たないし、弾圧されて消されてしまう。そういうエネルギーを使わないために、そしてまとめやすい民衆を育むために、日本と限らず世界においてさまざまな宗教や法律が生まれてきたんだと思いますよ。

たとえばやっちゃいけないことについて、別に反発しなくてもいいから、「なぜそれをしてはいけないのか」としばらく考えてみるべきなんだけれど。たとえば、不倫が禁止なのはなぜか、相手を傷つけるのは倫理に反する、じゃあその倫理はどうして生まれたのか……と、自分たちが従っている習慣やルールについて納得のいくところまで考えてほしいのですが、みんな面倒だからやらない。規制の法則に乗っかってるほうが楽だし、安全。

豊田 確かに、楽は楽ですね。

ルールに乗っかっていればいいわけですから。日本の学校には、髪の毛の長さを決めるなど、存在意義がわからない校則もたくさんありますね。

髪は顔の額縁？

ヤマザキ ありますね。私はイタリアに渡る前、日本でミッション系の高校に通っていましたが、とにかく細かな校則がいくつもあるような学校でした。「肩より下まで髪が長い人はリボンで結べ」とわざわざ書いてあるような学校で。

豊田 髪は薄茶色ではいけない、縮れていてはいけないなど、とんでもない校則もあります。

ヤマザキ　豊田さんの時代からあったわけですね。というか、むしろその時代のほうが厳しかったくらいでしょうかね。私は高校の頃、髪の毛は顔の額縁だからきちんとしなさいと言われ、馬鹿馬鹿しくなってすべて剃ってしまったことがあります。かつらを買わされましたが、髪の毛という次元で自由を拘束されるのが本当に嫌でそういう判断をとったわけですが、教師は怒るばかりで髪の毛の長さにこだわる理由を説明してくれない。自分で理解できていないルールを強いられても従いようがないわけですよ。

豊田　「駄目なものは駄目」という言い方をすることがありますけれど、なぜ駄目なのか。それを聞きたいわけですね。

ヤマザキ　そうです。髪の毛の長い短いで自分の人格を判断されることもアホらしかったし、何をもって、なぜ髪の毛の長さまで指図されなければならないのかという質問に、「顔の額縁」とかわけのわからない答えを戻されたら、余計に従う気持ちにはなりません。自分たちの思い通りに動いてくれない私のような異分子は、組織にとっては非常に目障りで迷惑なんだということを実感しました。

母親が呼び出されて、「マリさんは、うちの校風には合わないのではないか」と言われたそうですが、母は即座に「合わないと思います」と答えたそうです。もともと私が希望して入学したわけではなかったですし、良妻賢母の教育を心がけているような学風が私のような人間に適合するわけでもなく。そんな学校から頭をハゲにした女子高生が出てきたら、学校のイメージが崩れてしまうわけですからね。

豊田 先ほどおっしゃっていた制服の話も同じですね。

みんな同じものを着ていれば、それはそれで苦労しないで済むけれど。制服がなければ、たとえば太っている人は太っている人なりに、細い人は細い人なりに、自分には何が似合うかを考えるわけで、そうやって考えていたことが、大人になってから役立つということがあります。ファッションセンスの問題だけではない。知らず知らずのうちに、美意識が磨かれていく。

「今日はどんな服を着ようか」「どんな髪形に挑戦してみようか」と、日々の小さなことではあるけれど、いつか結果となり自分に戻ってくることがある。そうした機会を端から奪い、「制服」として統一してしまうのは、問題があると感じます。

ヤマザキ 制服という制度に対する窮屈さや拘束される違和感みたいなのは、経験はしておくべき感覚だとは思いますし、将来社会に出て行ったときに、制服というルール以上の不条理さと向き合う確率は大いにあるわけですから、そのための忍耐習得期間だと思えば耐えられますけどね。

ただ、制服というものに、必要以上にこだわる教育を見ていると、学校は勉強を学ぶ場所でありながら、同時に子供たちに周りと同一であること、空気を読むことなど、統括されやすい精神を定着させるための機関でもあるような気がしてしまいます。

仕事には「上」も「下」もない

豊田　「学び」というものを改めて考えると、世の中、全員が大卒というわけではなく、職人のような人も昔の日本にはいっぱいいましたしね。

たとえば江戸時代には「大工殺すに刃物は要らぬ。雨の三日も降ればよい」と言われていたくらいで、雨さえ降らなければ大工は普通の人よりもはるかに高い収入を得ていた。

そうした意味では「出世コース」がいくつもありましたが、今は大学受験をすることが唯一の出世コースのようになっていて、「大学進学」そのものが最終目標になってしまっている。中国も韓国もそうですね。日本よりもはるかに大学進学率が高いですから。

ヤマザキ なんとなく大学進学を目指すのではなく、手に職をつけたいと考える人たちをもっと大切にしていく、それぞれの性質に合った教育をしていくことを、親や指導者たちももっと考えていかなければいけない。

むやみやたらと「偉い人になれ」「総理大臣になれ」「名が知られるような誰かになれ」ではなく、一人一人に適した職を自分で探し出し、それを堂々と目指せる教育にしてもらいたい。仕事には「上」もなければ「下」もない、そうしたことを子供たちにしっかり伝えるべきです。どんな仕事だって誰かがやらなければならないようにできている。そうした社会と経済の仕組みを学校だけでなく親もしっかり認識するべきです。

豊田 私は島根県立大学という地方大学で教授をしていましたが、みんながみんな院卒になっても仕方がない、という気持ちがあります。一般の会社で博士や修士ばかりを採用するわけにもいかないですよね。

その人たちがよほど特別な分野で業績を上げているのだとしたら別です。けれど、修士や博士号を取得しても、特別な分野で働けるとは限らないのが現実です。

ヤマザキ　周りを見回してみても、学歴がもうさほど意味をなさなくなっていますね。東大を出て無職という人もいますから。

豊田　その通りだと思います。理系でも文系でも何か特殊な研究をしていればまた別だと思いますけれど、箔をつけるため、資格を得るためだけに院卒になっても仕方がない。

ヤマザキ　理系は職にあぶれないといいますが、かといって人文系がなくなっていいかというと、それは違うかと思います。かつて人文系の学科は必要ない、みたいなことを政府が提唱して、世界の報道で話題になったことがありました。要するに日本はテクノロジーの開発がインテリジェンスのすべてと捉えているのか、みたいに思われてしまった。経済的換金性の高い学術以外はなくしていい、という考え方は、先進国的ではないですね。

私のイタリア人の夫は、比較文学研究博士号を取得していますが、今は大学の教師はせずに、イタリアの高校で歴史の講師として働いています。アメリカのシカゴ大学にいた頃、ライバルたちの剥き出しの競争意識に巻き込まれて精神がボロボロになり、こんなところにはもういられない、とイタリアに戻ることにしました。

最初は友人と小さな出版社を立ち上げ、売れていない作家を紹介する仕事をしていましたが、それでは食べていけず高校の先生になったわけです。博士号を取得し、シカゴ大学にまで行ったのに、イタリアに戻ってきて高校の先生になるなんて、なんてもったいない！　と周りからは散々言われたようですが、本人はまったく聞く耳を持ちませんでした。本来なら普通の生き方が向いていたはずなのに、ちょっと勉強ができたからと大学に飛び級で入らされたり、成績では常にトップをひた走ってきたけれど、そういうキャリアがあっても普通の暮らしが向いている、という人もいる。

それに、本当に知的稼働率が旺盛な人は、どんな職業をしていようとみんなそれなりに博識ですし、逆に教育機関という組織を外れたことで、従来持っている天才性を活かせた人という例もあります。レオナルド・ダ・ヴィンチなんてまさにそういう人物でしたからね。彼は高度な教育は受けていない。受けていない以前にそういう社会組織が苦手だった。だけど最終的には誰にも真似のできない作品を作り、あらゆる方面でその想像力を活かすことに成功したわけです。スティーブ・ジョブズなんかもそうですね。そういう人はたくさんいます。

これからの人間のあり方

豊田 教育熱って必ずしも悪いことではないけれど、よその偉い人が考えたことを覚えるだけというのはなんともつまらなく、あまり意味がないですよね。

ヤマザキ 個人差は確実にあると思いますが、想像力が旺盛な人はそれを抑制するような教育は逆に仇になります。当然ですが、人間は一種類ではありません。一からモノを作り出せる人もいれば、経験値や感性といったものに長けている人もいる。そして、そういうものを受け皿としてマーケティングに持っていける能力がある人もいれば、それらを受容して自分たちの仕事に活かそうという人もいる。

教育機関はあって然るべきものだし、やりたくもない勉強と向き合わなければ、人間として必要な知識だけではなく、忍耐力も身につきません。でも、自由にしておいたほうがすごいものを生み出す人間にいつまでも周りと同じ教育を強いてしまったら、伸びるべき才能もそこまでになってしまうでしょう。教育の結果としてのパターンが限定的すぎるんですよ。人間の持つ知性の多様かつ未知なる可能性というものを、教育者はもっと意識するべきでしょう。

豊田　そうした人間のあり方をフラットに見ることなく、誰もが大学を目指すから結局使えない人がいっぱいできてしまうのでしょう。いろいろな道があるんです。私の義弟ということになるのでしょうか、妻の妹の旦那は美容師なんですが、今では八店舗を経営する成功者です。結婚した当時は、師匠格の美容師のもとで働いていたのですが、独立してヘアカラーの研究を始めた。もちろん、ヘアデザイナーだからカットなども研究するのでしょうが、ヘアカラーに特化した商法で当たった。好きなこと、得意なことに努力を傾注する。これが才能です。何も大卒、院卒にこだわることはない。いろいろ選択肢があるのに、狭めてしまっている。

これ、言って良いのか悪いのか、わかりませんが、戦前にはもう一つ出世コースがあった。軍人です。貧しい家の優秀な子は、軍人を目指した。陸軍幼年学校、士官学校などは給費制ですから、努力さえ惜しまなければ、出世できる世界でした。軍人というとすぐに軍国主義などと短絡されてしまいますが、これも一つのコースでしょう。戦前の反省からか過剰反応されやすいですが、陸海空の自衛隊員には、国民がしかるべき敬意を払うべきでしょう。ともあれ、もっと人生のコースを多様化していかないと、日本の未来はありません。

大学はプラスティックの塔？

豊田　日本の大学がうまく機能していないことは、データを見ても明らかです。日本の大学で、世界の大学の２００校のなかに入っているのは東大と京大だけですから。ユニークなプログラムがないということだと思います。

ヤマザキ　息子のデルスは今20代後半ですが、ハワイ大学に通っていた当時、1年間だけ京都大学に留学していたことがありました。しばらくして、「あまりみんな熱心に勉強している様子がないけど、どういうことなんだろう」という電話がかかってきました。工学部だった彼は、アメリカでは寝る間もなく日々是レポートだなんだと追い詰められていたのに、急に壁で堰き止められたみたいな感じがして不安になった、と言うのです。友達はできたけれど、アメリカのようにガツガツしているわけではないし、それはそれでいいのだけれど、授業の話をしてもあまり気乗りしないような様子の人が多かったと。息子の場合がたまたまそうだっただけなのかもしれませんけどね。学生たちにアメリカのようなピリピリした緊張感がないのはホッとできる半面、不安を煽られたと言ってました。

豊田 本当に優秀な学生なら、「あの教師の言うことはこの部分がおかしいだろ」「教科書にはこう書いてあるけれど、絶対に間違っている」といったことを口にすると思いますよ。

ヤマザキ 要は、大学という場所に所属していたということが、世間では知性のエキスパートだと短絡的に判断される、そこに奢ってしまうんじゃないでしょうかね。日本の場合、学部にもよりますが、大学に入るまでが大変だけれど入学してしまえばあとは単位を落とさなければいいだけ、という捉え方になっていますよね。欧米では高校卒業資格をとればそれまでの自分たちの学力に見合った大学に入れますけれど、卒業するのが至難の業。大学に入るということは、少なくともイタリアの場合、そこで身につけた専門知識を活かす仕事を目指すことになる。だから誰でも大学に行くわけではないし、卒業できるわけでもありません。勉強への努力を惜しまなかった人間が大学を卒業するわけです。

豊田　その危機感が今の日本にはないですね。

私自身、大学教授をやってみて初めてわかったのですが、日本の大学は「モラトリアム」と呼ばれるように、人生の猶予期間になってしまっている。勉学を重ねてシビアに自らの研究分野を確立したというような人材が、いかにも乏しい。だから、自身の研究を極めるという意識が希薄で、いわば縄張りのような狭い知識を守ろうという本能を優先しがちです。自分の分野に自信がないから、余所者（よそもの）を排除し、自分の領域を守ろうとする。

たとえば私の故郷の話ですが、日本の旧石器時代の岩宿遺蹟（いわじゅく）を発見した相沢忠洋（あいざわただひろ）さんはアマチュア考古学者で、納豆売りなどをしながらこの大発見に至ったのです。ところが、当初は専門家から相手にされなかった。ただ、当時から、この新発見を認める人もいました。のちに明治大学で、相沢氏の研究の真価が評価されたのです。現在の日本では、制度的に規格化される傾向が強くなっていますから、もし相沢氏のような大発見があっても、それを見出してくれるチャンネルが、なくなっているかもしれない。

素人が何を言うか式の偏見には、私も何度か出会っています。たかが小説家が偉そうに古代史に関して発言するとは、けしからん式の反響ですね。こっちだって、『古事記』『日本書紀』はもちろん、朝鮮の『三国史記』『三国遺事』まで、すっかり目を通してから発言しているつもりです。しかし、いわゆる象牙の塔に立てこもっている専門家も少なくない。本人は、象牙の塔だと信じているのでしょうが、実はプラスティックの塔かもしれない。

本物の学者は、そういう態度はとらない。素人が何を言うか式の態度の人は、本物ではない。私の知る多くの研究者は、素人だと馬鹿にせず、きちんとわかるように説明してくださる。ご自分の研究している専門分野がいかに面白く魅力的か、楽しそうに語ってくださる。いわゆる専門馬鹿の人は、そのプラスティックの塔に安住して偉そうに構えているだけで、危機意識が薄いのでしょう。

知性に対して貪欲だった日本

ヤマザキ　そういえば、先日、ある広告代理店の方と話をしていたら、「昨今ではCMも偏差値を下げることを意識して作らなければ視聴者に受け入れてもらえない」と言っていました。

コメンテーターも視聴者がわかりやすいような言葉を使うなど、ポピュリズム性を発揮した言い方のできる人は支持率が上がるけれど、視聴者に劣等感を感じさせるような発言をする人は支持されない。国民的大物俳優が外国製の高級車ではなく、国産の軽自動車に乗っていることがわかると、急にその人の株が上がる。「高嶺にいると思っていたあの人も、実は私たちと同じレベルだった」ということに感動を覚えるそうですよ。私が子供だった頃はCMもけっこう意識が高い系が多かったんですけどね、スタイリッシュでおしゃれで、しかも知性が封じ込まれていて。高度成長期からバブルにかけての日本人はみんな今より知性に対して貪欲でした。お金があったから。

きっと豊田さんがアニメ脚本家やSF作家として活躍されていた時代も、自分より少しでも多くのことを知っている人がいると、「自分ももっと知りたい」「背伸びをしてでも頑張ってみよう」「もっと勉強をしてみよう」と思う時代だったと思います。

またそのうち、偏差値の高いほうが好まれる流れに戻るのかもしれませんが。

豊田　確かにアカデミズムの世界でも、本当に偏差値の高い人が認められなくなっているのでしょうが、産業面、文化面など、あらゆる分野で日本の地盤沈下が起こったせいではないでしょうか。多くの日本人がノーベル賞に輝いたのは、いってみれば60年代から80年代にかけての研究成果が実ったおかげです。80年代、産業界では「ジャパン・アズ・ナンバーワン」といわれ、日本列島を売れば、アメリカを買っておつりがくるとまでいわれていた。その日本が、以後ずっと30年以上もまったく成長していない。先進国の仲間入りを果たして、欧米並みの一人当たりＧＤＰを実現した。そこである種の達成感に酔ってしまい、向上心を失ってしまったのではないでしょうか。

私のような老人がこういうことを言うと、昔は良かった式の繰り言と思われるでしょうが、日本全体が、あらゆる面で新しいものを築いていくという気概を喪失している。戦後世代が血の滲むような努力で作り上げた成果に、あぐらをかいて安住している人が多すぎるのです。

私が身を置いたのは、出版界を除けばアニメ業界ですが、黎明期のアニメ界にいたことは、幸せな体験でした。みんな素人ばかり。TBSのプロデューサーは、テレビというものができたというので、面白そうだと思って、女子高の英語教師から転職したという。ディレクターはテレビ局の美術部で、番組のタイトルバックの絵を描いていただけ。シナリオライター、つまり、私はまだ学生でした。でも、みな素人なりに、新しいものを創り出そうという情熱と意気込みだけは、誰にも負けない思いでした。

私が手がけたオリジナル・シナリオは、『エイトマン』と『鉄腕アトム』ですが、口はばったい言い方になりますが、こうした先駆的な作品の成功がなければ、今日のアニメブームも到来していなかったでしょう。大げさにいえば、歴史の証人として喋らせてもらいますが、アニメ界と同様のことが、多くの産業、文化、芸術など、各方面で起こったからこそ、今日の日本があるわけで、その遺産に寄りかかってばかりいては、未来への希望を喪失してしまいます。

制作プロダクションTCJとの打ち合わせで、アニメーターから「絶対にシナリオに登場させないでくれと」懇望されたことが二つ。一つは、馬、犬などが走るシーン。もう一つは、浜辺で波が寄せ返すシーン。馬が走るシーンなど、どう頑張って描いても脚がもつれたような動きにしかならない。だから、絶対に出さないでくれと。こんな状態でした。

手塚治虫さんの虫プロに移ってからは、わずか1年ばかりで作画技術は各段に向上しましたが、そんなとき、ある問題が起こりました。アトム役の声優の清水マリさんが妊娠して、大パニック。声優という職業が認知されていない時代だから、出産はイメージダウンだという。それで極秘扱い。清水さんもぎりぎりまで働いてくれたので、2、3回の代役で済みました。

当時の虫プロには、16歳のベテランアニメーターがいました。中卒で東映動画に入って1年修業したとき、手塚さんがアトムをスタートさせるというので、応募してきた。みんな若かったのです。

私の書いたオリジナル脚本『イルカ文明の巻』は、イルカから進化したドルフィン族のピピ王子というキャラクターがアトムと友人になることで、人類とドルフィン族の戦争の危機が防がれるというストーリー。シナリオでも強調したのですが、ピピ王子のキャラクターの魅力が重要になります。ところが、演出家の描いたイメージが違う。これではダメだと主張すると、議論になってしまった。シナリオライターが、演出家の領分に容喙するわけですから、下手をすれば喧嘩になりかねない。

そこで、妥協案として、このキャラクターを社内で公募しようということになり、演出家の勝井千賀雄さんという人が温厚な方でしたから同意してくれた。恐る恐る手塚さんに言ってみると、面白い、賞金を出そう、審査してやるからやってみろ、と。

そんなわけで、社内公募でキャラクターを決めました。それが成功に繋がったのです。10年ほど前ですか、アトムの一挙上映で、『イルカ文明の巻』はまた見たいアトムのトップに選ばれました。今なら専任のキャラクターデザイナーがいますが、それまで演出家が適当に描いていたキャラクターデザインを、別のクリエイターに任せたという意味では、たぶん日本最初だと思います。

前にも言いましたが、できたばかりのアニメ界で起こっていたようなことが、産業界、芸術界、マスコミ界などでも起きていた時代でした。日本人すべてが学歴や肩書にこだわらず、こぞって上を目指していたから、それぞれの分野を、世界のトップレベルに引き上げることが可能だったのでしょう。

第5章

水木しげると手塚治虫

ダメージを恐れず生きていく

豊田　２０２２年に出版した『たのしく老後もはたらく生き方』（ビジネス社）にも記しましたが、私はずっと自由業に懸けて働いていたので、特に若い頃はわりと破茶滅茶ともいえる生活を送っていました。

妻と結婚したときも、式にかかる費用は折半したのですが、それから新婚旅行に行ったりしていると、その年の暮れには貯金が尽きました。仕方がないので、妻の実家に転がり込みましたが、妻の両親も相当困ったと思いますよ。娘は変な奴と結婚してしまったと。

ただ、年明けにはお金が入ってくることはわかっていたので、不安で仕方がないというわけではありませんでした。周りの仲間たちもみな、そうやって過ごしていましたし、今よりもっと楽観的でいられた時代でした。

昔はテレビの仕事で脚本を書き、一度に大金が入ると、すぐに飲み代に使ってしまっていました。すると、当たり前ですが、すぐにお金がなくなる。

私は『エイトマン』や『スーパージェッター』といったアニメ作品の脚本を手がけていましたが、スポンサーとして丸美屋がついていたので、山のようにふりかけをいただいていたんです。お米だけは切らさないようにしていたので、自宅に山積みにしていたふりかけのお陰で、かろうじて食べていくことができました。白米とふりかけで、10日間くらいは過ごしていたと思います。

幸い、ふりかけには種類がありますからね。『エイトマンふりかけ』『スーパージェッターふりかけ』と、それぞれ味が異なるので助かりました。すき焼き味のふりかけなんて、やはり少し豪華な感じがしましたよ。

そうした意味では、エリートコースを歩んできた人とは違うかもしれませんね。

ヤマザキ　エリートコースより、私だったらふりかけ山積みな暮らしのほうが楽しそうでいいですね（笑）。たとえば豊田さんと同じ時代を生きていた小松左京だったり、もう少し前の時代の作家になりますが、私の敬愛する安部公房だったり、経済的な横柄さや乱暴さといったものときちんと対峙してきた作家たちには、それなりの質感が感じられるように思います。第二次世界大戦時に青春期を過ごしていたこの人たちは、不条理尽くしの人生と社会に幻滅し、絶望し、挫折し、貧困という危機の泥沼のなかで、必死で表現という手段にしがみついていたわけですよね。やはり時代と国境を超越する作品を作れる人の根底には、怨嗟（えんさ）と孤独のマグマのようなものが煮え立っているのだと思います。

今はそうした苦しみをいかに排除しながらダメージを避けて生きていくかが大事な世の中ですから、表現のあり方も求められ方も、すっかり変化してしまいましたね。

抗（あらが）えない経験が感性を育む

豊田　自由業は、周囲に安定している状態があって初めて成立している、という側面はあります。本人はいくら不安定でもね。

たとえば、太宰治だって戦後はもうメディアが壊滅状態で、それを悲観して自殺未遂を繰り返していた部分があると思います。私の友人の田中光二の父であった田中英光も、太宰のあとを追って自殺しています。

ヤマザキ　太宰も、幾度にも及ぶ自殺未遂騒動も本当は演出で、最後の玉川上水の入水自殺も、自分だけは助かりたいと思っていたのかもしれないと思うことがあります よ。太宰ファンであればその辺の事情はもっと詳しく知っているのでしょうけど。

豊田　ああいう時代の物書きは、気の毒だなと思います。明治の物書きたちはみな、常にどうしようもなさとともに生きていましたね。たとえば、明治の小説家で評論家の斎藤緑雨は、「筆は一本也、箸は二本也。衆寡敵せず」という言葉を残しています。1本の筆でいくら書いても箸は2本だから、すべては食べられない、という意味だと私は解釈しています。

ヤマザキ　だけど筆は握っていなければならないわけですよね。私も、自ら選んだわけではありませんが、惨憺たる貧乏経験を留学時代にしていて、そこで抗えない力と向き合ったことが自分の表現に確実に繋がったところがあるので、今となってはありがたかったと思っています。無我夢中になってトライアスロンをしていたら、ゴールにたどり着けていた、という感覚ですかね。

私は息子が生まれると同時に、それまで長年同棲していたイタリア人の詩人の彼氏と別れることを決めたのですが、その後、どうやって食べていくかを考えたときに、自分にできることとして漫画を描くことを選びました。ずっと絵の勉強をしていましたし、文章を書くことは好きだったので、「絵と文章を合わせれば漫画になる」という友人の言葉に背中を押されたということもあります。

水木しげるさんの漫画は昔から大好きでしたが、彼の人生もまた壮絶極まりないですよね、特化していえば、戦争という圧倒的な不条理を体を張って経験してきた漫画家なわけですが、それに比べたら私の貧乏なんてのはお話になりません。とはいえ、もともと画家を目指していたという素性や、漫画家を生業として選ぶも、日々貧乏と格闘し続けてきた経験なども含め、たくさんいる漫画家たちのなかでも自分とシンクロする部分の多い方だと感じています。

境港（さかいみなと）の天才児とまでいわれるくらい絵が上手だった水木少年は、その後美術学校に入るも授業料を払えずドロップアウトしてしまうんです。徴兵され、南方ラバウルの激戦の最中に左手を失い、マラリアで九死に一生を得て日本に帰国。その後は紙芝居などできそうな仕事を試行錯誤しつつ、貸本漫画を描くようになりますがお金になりません。ところが、43歳のときに「テレビくん」という作品で講談社児童まんが賞を受賞したところから、どんどん仕事が入ってくるようになったようです。

私も42歳のときに『テルマエ・ロマエ』で「マンガ大賞2010」と「手塚治虫文

化賞」を受賞したので、年齢的なタイミングも似ています。水木さんと同じで、受賞したとたん、いきなり仕事の依頼が一気にくるようになるわけです。そんなこと今まてなかったので、嬉しくて、どんなオファーもすべて引き受けてしまいました。ちょうど夫の仕事に伴いポルトガルのリスボンからシカゴに引っ越しをした頃でしたが、あまりになんでもかんでも仕事を引き受けていたら過労で倒れかけて、「仕事と家庭、どちらが大切なんだ」と、夫とは離婚寸前の修羅場もたくさん経験しました。

水木さんもやはり仕事を入れすぎてしまい、私と同じような窮地に立たされておられたようです。水木さんは、とにかく他の漫画家とは違う系譜をたどってこられているので、彼の漫画は真似しようとしてもそう簡単にはできない。あの独特な死生観やどんな修羅場も飄々（ひょうひょう）とした様子で描けるのは、本当に自分自身と向き合ってきた人だからこそできることなのでしょう。手塚治虫さんはご子息が『ゲゲゲの鬼太郎』のファンだと知ってかなりライバル意識を焚き付けられたとどこかで聞いた記憶がありま す。

豊田 手塚眞さんのことは私もよく存じ上げていて、結婚式に呼ばれたこともあります。映画を撮られるなど幅広く活躍されていますけれど、キャリアのなかでは少しブランクがあった時期もありましたね。

あるとき、大阪のＳＦコンベンションで、手塚眞さんの作品が上映されたのですが、作品解説を手塚治虫さんが代わりにされたことがありました。「手塚眞先生は、今日は生憎いらっしゃれませんので、代わりに解説を致します」とおっしゃってね。息子の作品の解説を、ものすごく嬉しそうな顔でされていたのを覚えています。

あれだけ偉大な父親を持ちながら、自身もまた近い分野で活躍されている眞さんのことも、私はすごいなと思っていつも見ています。

裕福であることの弊害

ヤマザキ　父親が神様扱いを受ける存在だというのは、どんな感覚なのか、私の想像力をもってしてもなかなかわからないのですが、やはり表現者の親を持つ子息が表現に対して旺盛な好奇心を抱き、自身もそちらの方向に進んでいくというのはあるように思います。

豊田　手塚治虫さんのお父様、粲（ゆたか）さんは、後にカメラマンとしても活躍されて、治虫さんが設立された「虫プロダクション」にもよくいらっしゃっていたので、私も度々お話ししました。もともとは財閥系企業の会社員だったそうです。

治虫さんが子供の頃には、8ミリの映写機でミッキーマウスなどを見せていたそうです。若かりし頃の治虫さんがディズニーアニメに夢中になっていたのは有名な話ですが、お父様の影響だったようですね。

ヤマザキ　やはり親が表現に対して開かれた視野を持っている家では、そういう子供たちが育つんですね。水木しげるさんのお父様もかなり面白い方だったようですが、治虫さんは恵まれた環境にいらっしゃったんですね。

豊田　そうですね。とはいえ、お父様とは一度大きな喧嘩もされたみたいです。

恵まれた環境だからこそ、治虫さん自身も父親を乗り越えなければ、という気持ちがあったのかもしれません。

ヤマザキ　手塚さんと水木さんは同時代の人なんですけれど、やはりいろいろ違いますね。

豊田　底から這い上がってきたようなクリエイターではないですね。そのことに対して、治虫さんなりの劣等感があったのかもしれません。「劣等感」という言葉が正しいのかはわかりませんが、自分よりも社会の荒々しさや凶暴性と向き合い、這いつくばりながら上にのし上がってきた人たちが持つ表現力に対しては、きっと嫉妬心と似たものを持っていた。これは、漫画をはじめとする表現の世界にかかわらず、どんな業界でもいえることだと思います。

音楽業界でもどこでも、周囲の環境も自分自身も整っている状況のなかから表現者になった人と、ボロボロの状態から死に物狂いで「表現」という手段を掴んだ人では、やはりそこから生まれてくるものは大きく違うわけです。

ビル・ゲイツとスティーブ・ジョブズの違いもそこにあるのかもしれません。生まれてすぐに養子に出されたジョブズと、裕福な家庭に生まれ育ったゲイツでは経験値が大きく違います。自分の意志とは関係なく置かれた環境から、知らず知らずのうちに育まれていったジョブズの感性は、ゲイツはどうあがいても手に入れられないものです。ゲイツ本人もそれは感じていることだと思います。

私は手塚さんの近いところにいたので、よくわかるんです。手塚さんは「嫉妬深い人だった」と表現されることがありますけれど、「嫉妬」といっても、決して権力的ではないんですね。なかなかうまく表現するのが難しいですけれど。

自分より年下の漫画家が注目を集めると、勝手に自分のライバルみたいに感じてしまう人でした。「自分のほうが肩書は上だ」とか「相手はどうせ自分よりキャリアが浅いのだから」と歯牙（しが）にもかけないわけではなく、もっと横並びの関係というか、フラットに見ていたのでしょう。

ヤマザキ　手塚さんの嫉妬というのは有名な話ですね。ただ、世に出てくる漫画家たち一人一人を細かく見て素直に驚いたり感動されていたそうですから、それは私にしてみれば嫉妬ではなく、良質の触発によるアジテーションみたいなものかと思うんですけど、どちらにせよ比較によって発生する動揺はエネルギーの必要な感覚です。ルネサンス時代にあれだけの傑作がどんどん生まれた流れの源にも、やはり表現者同士の妬みやっかみがありましたからね。嫉妬という苦しさもまたすごい作品を生むうえでなければならないものなんですよ。メンタリティを省エネしたい場合は、そういう燃費の悪い感情に火がともらないよう抑制したりもできるはずなんですが、わざわざ燃焼させる人はやはり創作に対して膨大なエネルギー貯蓄がある人たちなのでしょう。手塚治虫さんはまさにそんな人だったと思います。

豊田　本当の意味で「クリエイター」だったのだと思います。
一度、私がオリジナル脚本として書いた『鉄腕アトム』の「イルカ文明の巻」が前にも触れたように評判がよく、視聴率42％を記録したことがありました。その記録はいまだに抜かれていないのですが、そのときは私を褒めてくれたことを覚えています。ただ、周囲の人々には、「なぜ自分の原作ではなく、豊田のオリジナルで視聴率がこんなにもとれたのだろう」と時々ボヤいていたみたいですけれど（笑）。

ヤマザキ　表現者はそうでないと（笑）。

豊田　私はすごく信用されていたと自分では思っていますが、治虫さんがすごいなと思ったのは、信用していても完全には任せてくれない、というところです。
始めから終わりまで、シナリオは手塚治虫が書いたようになっていないと気が済まない。だから、細かいところで「ここを直せないか」「ここはもうちょっとどうにかなるだろう」など、さまざまなことを言われました。絶対に丸投げはしない人でしたね。

ヤマザキ　それこそ、信用という怠惰に身を委ねていなかった証拠ですよ。疑念というインテリジェンスを常に稼働させていたということだと思います。そうでないと、ご自身の納得がいかない。

豊田　そうですね。「原作：手塚治虫」とあるわけだから、「その回のシナリオはあくまで豊田が考えたオリジナルだから」という言い訳も、特別扱いもしない。

ヤマザキ　徹底してますね。いやぁ、すごいな……。

豊田　まさに、そこがすごいな、と感じたところです。

毎回シナリオをきちんと読み、シノプシスも毎回ちゃんと見てくれていて。シナリオをチェックしてもらうと、アカ字がたくさん入って脚本自体が真っ赤に染まってしまい、撮影室に一緒に籠る、なんてこともしばしばありました。

あるとき、1時間ほど、ああでもない、こうでもないと二人で話し合っていたら、その最中に営業担当の重役とその関係者たちが雪崩れ込んできて、左右から手塚さんを抱えて連れて行ってしまったことがありました。

一人残された私は、はじめは何がなんだかわかりませんでした。どうやら『鉄腕アトム』の商品化にあたり、玩具メーカーだか文房具メーカーだかとの調印式があり、先方も社長が出席するので、手塚さんも行かなければならない。ところが、あの人はそうした商売の話が嫌いだったものだから、すっかり頭から抜け落ちていたのかもしれません。
それよりも、私のシナリオのできのほうが気になって、「早く直すところを言わなければ」ということで頭がいっぱいだったのでしょうね。
私はあとで重役に呼ばれ、「1時間半も社長を抱え込んで、会社を潰す気か！」と怒られましたが、いや、私が抱え込んだわけではなく、私は抱え込まれたほうなんですけれど……という感じでした（笑）。

ヤマザキ そのお話を伺っていて、以前、小松左京さんの元秘書の方から、小松さんはなんでもかんでも仕事を引き受けてくるけど、対応がそれに追いつかないから大変な目に遭うんだとおっしゃっていたのを思い出しました。手塚さんもおそらく、好奇心が先行してしまって、なんでもできてしまうような気がするんですよ。結果的には自分で首をしめることになるんだけど。

豊田 本当に、その通りです。

本物のクリエイターは完璧主義だ

ヤマザキ　結局自分ですべてを確認しないと気が済まないというのは、やはり自分の審美眼しか信用できないというのがあるんじゃないですか。卓越した才能を持っている人というのは、どんな些細なことであっても妥協を許しませんから。自分の求めているものができあがらない限りは容赦できないのでしょう。

豊田　組織として無駄なくスピーディーに動こうとするならば、社長命令として「ここを直せ、ここもだ」と言ってしまえば済む話で、それだけならばものの5分で済む話ですよね。

けれど、「ここはこう直したらどうだろうか」「いや、この表現のほうがいいだろう」と、自身も悩みながら少しでも良くしていこうとするから、つい長くなってしまう。

ヤマザキ　手塚さんだって、楽しくてそうやっているわけではないでしょうからね。もう作家としての業(ごう)に支配されてしまっている。業を落ち着かせるには、業を使うしかない。つまり、良い作品を生み出すしかない。

豊田　本物のクリエイターであり、完璧主義者なんですよ。

ヤマザキ　撮影室に豊田さんと籠った手塚さんの気持ちはよくわかります。もう誰がどれを担当するかという次元のことではなくなっていたんでしょうね。無我夢中だったということだったと思いますよ。先ほどの調印式にしても、手塚さんにとっては、契約書や支払日といったものは、作品の二の次というか、本心ではどうでもいいことだったのではないでしょうか。

だから、「お金のことはあとでいいので、話が進んでいるのなら、先にアニメ化をしてしまってください」というような流れにもなったりする。それによって漫画が映像化する場合の悪いフォーマットができてしまい、契約内容がうやむやに済まされることがいまだにあるわけです。

私も『テルマエ・ロマエ』が映像化されたときにはいろいろありまして、それをメディアで話したら〝物言う漫画家〟などといわれるようになってしまいました。弁護士をつければ当時の編集者に、編集部を信用していないのかと言われ、信用しているしていないの以前に、私は漫画を描くことでいっぱいいっぱいなので、契約などは弁護士に任せたいと言うと、漫画家は普通は編集部に丸投げするもんだという答え。〝漫画家は普通は〟という解釈もどうかと思いますし、またあるときなどは、タクシーでの移動中に著作の二次使用の契約書を渡され、すぐにサインをしてほしいと言われたこともありました。契約書を見ても意味がよくわからないので、これはどういうことなんでしょうと問いただすと、カプセルトイなんかの製造に必要なんだと言います。ところがあとになって、二次使用というのはものすごく大きな範囲を含むものなのだと知りました。とにかく、何よりも作家に対して説明不足なのが腑に落ちないわけです。でも、これは製作委員会で進めていることだから、作家さんは関係ないからと言われる。

豊田　それはおかしいですよね。クリエイターの権利が、きわめて弱い。これは国際的に見ても変です。アメリカなどでは出版エージェントがいて、出版社との交渉に当たりますが、日本では、そういうシステムがない。これは、さる編集者に聞いた話で真偽のほどは不明ですが、作家の水上勉さんが原稿料の値上げを要求したところ、1年ほど仕事を干されたのだそうです。水上勉さんほどの大作家ですら、値上げ要求はタブーだったわけです。

だいたい、今ヤマザキさんがおっしゃったように、クリエイターを志すような人は、たいてい交渉ごとには疎いし、仕事に向ける時間の浪費にもなるから、声をあげない。そこに付け込まれているようなものです。

日本社会そのものが、管理社会に堕してしまっている。テレビ局の制作は、制作をしない。どこの下請けプロダクションに仕事を丸投げするか、いわば許認可権を持った窓口業務をするだけです。この傾向は大手の出版社にも見られます。編集部が編集をしなくなっている。どの編集プロダクションに仕事を回すか、これも窓口業務です。実際に、こうした立場の人による収賄汚職事件も起きている。ただ座ってルーティンワークをやっていれば、権力と金が入ってくる。本来はクリエイターに還元するべき金と名誉が奪われています。

昨年話題となったオリンピック、パラリンピックの理事による収賄疑惑も、もともとはアスリートに還元されるべき金と名誉が一個人に横領されたことが原因でしょう。この人は今も否認しているようですが、悪いことをしたという意識もない。もともと勤めていた広告代理店でスポーツ関係のイベントを取り仕切っているうちに、口利き、斡旋するだけで巨額な金が入ってくる、いわば極楽のような生き方を覚えてしまった。そこで、それを個人でやり始めた。本来、個々のアスリートの報酬、強化費などに回すべき金だという理解が、欠如しているのでしょう。

話は変わりますが、私も若い頃はNHKでいえば『歴史誕生』『歴史発見』など歴史番組や、民放では『生テレビ東京発見』だの『遠くへ行きたい』など旅番組から何度もお呼びがかかりました。NHKはともかく、民放では巨額の制作費が、制作プロに渡るまでにあちこちで削られ、わずかしか残らない。数日間一緒に旅をして、スタッフとも意気投合しました。ロケが終わり、打ちあげをやったところ、ADが申訳なさそうに、ビールはお一人2本だけだと切り出した。そこで、見かねてビール代を持ってやったこともあります。みんな熱心にやってくれたことが、わかっていたからです。この例でもわかるように、現場に金が回ってこない。ここを改善しないと、良い作品は生まれようがない。

もう一つ、日本社会の致命的な欠点でしょうが、クリエイター、研究者など、現場で身体を張って頑張っている人の待遇も、年功序列でしか向上しない点があります。アメリカでSF特撮関係のクリエイターのホームパーティに出たとき、このような話を聞きました。『ハウリング』という狼男の特殊メイクのクリエイターと話し込んだのですが、ロブ・ボッティンという特殊メイクでは、数百ドルのギャラだったそうです。

当時は20歳そこそこで、リック・ベイカーというベテランの弟子で、師匠が『狼男アメリカン』の仕事で忙しいため、いわば代役のような形で任されたのだそうです。ところが、リック・ベイカーですら驚いたほどのできで、自分が手掛けている『狼男アメリカン』の特殊メイクの一部を、かえって弟子のロブの手法でやりなおしたといいます。こうして『ハウリング』は大評判になり、次の仕事『遊星からの物体X』では、報酬が数十倍に跳ね上がったそうです。こういうことは、日本では起こり得ない。いくら飛びぬけた素晴らしい仕事をやっても、かならず周りとの兼ね合いといった理由で、ギャラはわずかばかりしか上がらない。

日本のクリエイターは徐々にしか上がらないギャラ、著作権を無視するような搾取など、多くのマイナスに直面しているのです。研究者、技術者なども同様だそうです。有力な発明、技術、ノウハウなどを開発しても、正当な対価を与えられないようです。

繰り返すようですが、現場で身体を張っている人々が、その努力が報われるような状態にしないと、日本の今後はないでしょう。

ヤマザキ　正直、『テルマエ・ロマエ』騒動のあとは漫画を描く気が消失してしまいました。こうした日本の内部に垣間見えるプリミティブな実体が怖くなりました。

豊田 私もアニメ『スーパージェッター』のときだけ、漫画家と原作グループとで商品化権を折半する、という契約を交わしたことがあります。当時の推理作家協会がテレビラジオ委員会を立ち上げて、強力に交渉に臨んでくれたからですが、これが最初で最後になりました。だから、『スーパージェッター』のときは、玩具が一つ売れるといくら手にする、という明確な条件があったんですね。
けれど今は、「二次的著作物の利用」、マーチャンダイジング権といった権利にまつわるものは、すべてプロダクションのほうに行ってしまうんですね。クリエイターの立場からしてみれば、そこがおかしいと思います。要するに搾取ですよね。

クリエイターに還元されない社会

ヤマザキ 「搾取」という言葉以上のものを感じずにはいられません。
私は今でもよく「ヤマザキさん、漫画がヒットして良かったですね。嬉しかったですか？」と聞かれるのですが、私としては「嬉しい」という感情より、辛さのほうが大きかったです。漫画家というのはヒットするとちやほやされますが、しょせん、嘗(な)められた商売なんだなあとしみじみ思いました。

ちなみに『テルマエ・ロマエ』の実写版の興行収入は1、2、合わせて約100億です。そしてその数字が宣伝材料としてあちこちに流布(るふ)される。そうすると出会う人から「ヤマザキさん、左団扇(ひだりうちわ)生活ですね、羨ましい」などと言われてしまうわけです。しかし、実際振り込まれたのは両作品合わせて200万弱。この映画がヒットすれば単行本が売れるからそれでいいじゃないか、ということのようですが、問題はお金ではなく、なぜそういった大事なことが原作者を通さずに決められていくのか、ということでした。

原作者に負担を与えないよう編集部でやりくりしてくれるのはありがたいですが、せめて原作者には、どうしてそういう取り決めになったのか事後報告でもいいから知らせてもらいたいわけじゃないですか。確かに、細かいことは製作委員会で決めるのが常なのかもしれません。けれど、原案があったから、企画として立ち上がり、映画として世に出せたわけです。原作者に対してのリスペクトより「お前の作品を有名にしてやるんだから感謝しろ」と言われているような横柄さを強烈に感じました。

そもそも『テルマエ・ロマエ』という漫画は、世界各国での居住経験や、お風呂をはじめとする日本文化への枯渇など、私のなかで長い年月をかけて蓄積してきたコンテンツが化学変化を起こしてできた作品です。ちょっとアイデアを絞ってみたらできました、という作品ではないので、それを考えるとなおさら納得がいかなくて。

豊田 それは、日本の社会が昔と違い、実際に体を使い現場で闘っている人にお金が回りにくくなっているということだと思います。

例を挙げます。私が、ＳＦ専門誌ではなく、中間小説誌にデビューしたのは１９６３年ですが、原稿料は４００字詰めで、１枚１０００円でした。『オール讀物』（文藝春秋社）の担当は、忘れもしない桐島洋子女史でしたが、「新人だから安いわよ」と言われたのを、今でも覚えています。50枚で5万円です。四大卒の初任給が1万８０００円くらいの時代です。独り身でしたから、その短編1本だけで、３カ月は食べられた。今の作家は、短編1本では10日も食べられない。

小説の世界だけの話かと思ったら、他でも同様だったようです。名脇役として知られる樋浦勉（ひうらべん）さんとは、ひと頃仲良くしていたのですが、「あなたくらいのベテランなら、悠々自適でしょう」などと訊いてしまったところ、とんでもない、という返事でした。

デビューした頃のほうが、相対的にギャラが高かったという。今は数をこなさないと食べられない。それを聞いたのが20年ほど前のことでした。デスクワークで、仕事を分配するようなルーティンワークをしているポストに、金と権力が集中してしまうという日本の特殊事情があるのです。

ヤマザキ　とにかく私としてみれば、消化不良もいいところでしたから、テレビに出て、こうした漫画の原作使用料というのは100万円程度でしかない、ということを公言したのです。使用料が安いとか高いの問題ではなく、すべての漫画の映像化の場合に支払われる対価がそのくらいであり、映画が100億の興行収入があったからといって、原作者がそれで大金持ちになるわけではありません、と。すると、その直後からネットは「原作使用料安過ぎ！」と大炎上状態になり、編集担当からは電話がかかってきて、テレビに出たことをプロデューサーのところに行って謝ってこいと言うわけです。あんなに頭にきたことは自分の人生でなかなかあることではありません。

豊田　『宇宙戦艦ヤマト』に関しても、同じような話を聞いたことがあります。松本零士さんも、あれだけアニメ化されたり、関連商品が発売されたりしていますが、世間の人が思っているようにはもらっていないようです。

『宇宙戦艦ヤマト』で、私はSF作家として原案やSF設定を担当していて、『「宇宙戦艦ヤマト」の真実』（2017年、祥伝社新書）という本を出すなど、松本さんの近いところにいましたが、そう聞きました。プロデューサーには300億という大金が流れ、その人はヨットや女など、好きなことに使い放題だったけれど、クリエイター側には納得のいく形で回っていないと。

ヤマザキ その頃から、何も変わっていないということですね。

豊田 そうですね。結局、お金はプロダクションや出版社に回り、クリエイターにはまったく還元されていないことが問題だと思います。

出版業界に限らず、それはどんな分野でもいえそうです。

たとえば、1993年に世界で初めて実用的な高輝度青色発光ダイオードを発明した中村修二さんも、自らが関わった特許に対する対価を求め、かつて勤務していた会社を相手取って裁判を起こされていましたね。いわゆる「青色LED訴訟」です。

日本の文化技術、ノウハウなどには、生み出した人に対してのリスペクトが感じられません。作り手を尊重する風土がなくなってしまっているんですね。

ルネサンス時代の凄腕交渉人たち

ヤマザキ　私は今、某音楽事務所に所属し、敏腕のマネージャーさんに支えてもらっているので、仕事がとてもしやすくなりました。お金の交渉や締め切りなど、自分で仕切ろうと思ったら今度は漫画が描けなくなってしまいます。漫画家の場合、たいがい編集者がマネージャーに近い立場として面倒を見てくれますが、しょせんは出版社の人間です。自分たちと関係のない仕事の依頼は好意的には引き受けたくないわけですよ。

豊田　アメリカには、出版エージェントというものが存在しますね。

ヤマザキ　イタリアを含め、ヨーロッパも全般的に作家はエージェントに面倒を見てもらうのが常です。作家と交わす契約には必ず公証人を立てますから、そのあたりは日本よりも進んでいるように思えますが、実はこうしたやりとりは、すでにルネサンス期には当たり前に行われていたのです。

何せ金融都市フィレンツェは景気が良くて金持ちたちがどんどん画家や彫刻家や建

築家にあれこれ依頼をするものだから、当時は公証を生業としている人がたくさんいました。どんな作品も、まずは表現者と依頼主の間で契約書を取り交わすのが常識で、そこで作品に支払われるべき値段、納品期日、遅滞をした場合の作家へのペナルティなどすべてが取り決められる。その当時の資料はたくさん残っていますが、調べてみると今の日本の漫画業界よりも、よほど表現に対して進んだ解釈をしていたことがわかります。

２０２２年3月から、『テルマエ・ロマエ　ノヴァエ』という新しいアニメがNetflixで独占配信されています。なぜこの企画を引き受けたのかというと、出版社を介す必要がなかったからです。Netflixと私で直接やりとりをするという条件に納得しましたし、私と同じ動機でNetflixの実写化・映像化の依頼を受けている人は多いと聞きました。そちらのほうが明らかに明朗会計ですし、原作者は敬われ、実際、プロデューサーとしてシナリオの段階から制作に関わらせてもらうことも可能です。製作委員会で仕切りますから原作者は外にいてください、というのとは違います。

ところで、実写化・映像化に限らず、どんな仕事の依頼も最初にそれに支払われるべき金額を提示するのがマナーかと思うのですが、日本で先に原稿料や報酬を提示する依頼者はあまりいません。それが逆にこちらでの礼儀というか、日本ではそういうものなんでしょうかね。確かにお金の話をすれば浅ましさが出てしまいますが、私はどうも自分の騙されやすい性質を踏まえてしまうのと、欧州の合理主義的姿勢を叩き込まれてしまっているものですから、そこがもどかしいんですが。

豊田　日本では、なぜかお金のことを話すのは卑しい、といった雰囲気がありますよね。また、「欧米は契約社会だから」と言って、馬鹿にしたり嫌がったりしている節があります。

けれど、プロ野球選手でもなんでもそうですが、アメリカならエージェントがついている。日本では、なんでも本人がやろうとする傾向にありますが、文化が根づいていないため、そもそも不慣れですし、結果的に煩わしく感じてしまうのだと思います。

ヤマザキ　『テルマエ・ロマエ』問題が発生したとき、なぜそんなにすべてが曖昧なのかと編集者に聞きましたら、「日本はそんなもんなんだ、なんとなく空気で察すればいいんだ」というようなことを言われました。なんとなくそうなっているのだから、それに従えという「空気ルール」が漫画業界にも蔓延しているということです。

日本式の、なんとなくそうだからこうなった、というストラクチャーを否定はしません。これで社会が成り立っているのであればそれで何よりです。ただ、この定着した風潮を利用し相手を騙そうとする人間だって、当然現れる。少なくとも海外ではこのやり方では通用しません。私はイタリアであらゆる仕事をしてきましたけど、ぼやぼやしていると本当に相手の都合のいいように利用されますし、実際されて、訴訟も何度か起こしてきました。それもあって、実写化のときの事の進め方に不満を感じてしまったんです。

そもそも、そうした契約内容を、しっかり相手が納得するように説明してもらえればそれでいいだけの話です。理解できればそれ以上は私も聞きませんし、自分がそれに従えないと思えばその場を離れるだけです。

これは私の著作料問題に限った話ではなく、どんな場でも、政治や外交でもいえることなんじゃないでしょうかね。とはいえ、そう簡単にはいかないんでしょうけどね。

モノを生み出すのは大変なこと

豊田　私自身、そうした慣習に従ってはきましたけれど、「おかしいな」とはずっと感じていました。人間の頭はタダだと思っているから、ギャラのランクづけが固定化されてしまう。

結局、相手側が言うよりも良い条件って、なかなか自分からは提示できないものです。どの世界でもそうですが、今の日本では、現場で体を張って頑張っている人にお金が回らない仕組みになっている。欧米の契約社会を馬鹿にするのではなく、どんな分野であれ、契約もお金の話も仕事をするうえで最低限必要なものだということを、社会全体で理解することは必要ではないかと思います。

ヤマザキ　あまりに曖昧にされると、ときに馬鹿にされているのではないかと感じることもあります。日本に限らず、絵描きやミュージシャンなんかは、好きなことを職業にしているだけでもありがたいだろ？　的な対応をとられやすい傾向があります。なので、そのノリで「ちょっと絵を描いてくれませんかね」みたいな態度をとられると、けっこう頭にきたりしますね。

ただ、なかには、ようやく憧れの職業に就くことができたという嬉しさで、「低いギャラでもやります」と言って引き受けてしまう人たちがいるのもまた事実です。しかし、作り手がどんなにギャラに頓着していなくても、仕事は仕事です。作品によって利益は出るわけですから、しっかりお互いが納得できる形での契約を結ぶことは大事だと思います。モノを生み出すというのは、本当に大変なことなんですよ。簡単にやってるように見えても、大変なんです。だから、最低限、リスペクトしてほしいな、という気持ちがありますね。

豊田　先ほどと重複しますが、漫画家や小説家だけでなく、研究者だってそうですね。才能ある人たちは、みなより良い条件とリスペクトしてくれる環境を求めて、どんどん海外に出ていくようになってしまう。

少しずつ社会構造を変えていかないと、日本の将来はないと思いますし、才能が流出していくのは、日本にとっても大きな損失だと思います。

一人で闘う？ みんなで闘う？

きましたね。

ヤマザキ お話ししていてふと思いましたが、アニメや漫画のヒーロー像も変わって

　昔は、一人のヒーローが身を犠牲にしてでも闘うというストーリーが主流でした。『タイガーマスク』や『あしたのジョー』、手塚さんの『ブラック・ジャック』にしてもそうでした。みんな孤児で、子供のときから不条理と向き合いながら生きていて。

　実際に、あの頃は第二世界大戦による戦災孤児がたくさんいたこともあり、１９５０年代に出版された漫画の多くは孤児院が舞台になっている。アメリカ兵との間に生まれたハーフの子供や、継母にもらわれてバレリーナを目指すような少女漫画も多いです。子供たちも大人と同じく、容赦のない不条理と真正面から対峙していた時代ですね。そうした作品に感情移入ができていた読者の子供も同様です。生きていくというのは決して楽しく幸せなことばかりではなく、残酷な目にも遭わなければならないのだということを、子供たちは理解していた。しかし、社会が子供たちからそういっ

た現実の側面をことごとく排除していこうとしている昨今の世の中では、あの当時の漫画とは方向性がまったく違うものになりました。

一番顕著なのは、主人公像ですね。今は矢吹丈みたいな孤高のヒーローではなく、グループで一致団結しているパターンが多い。芸能界も西城秀樹や松田聖子のようなステージで一人で立って歌う歌手ではなく、ジャニーズのグループやＡＫＢ48、EXILEみたいに団体で一つ、というのが主流ですからね。

複数が集まることで初めて個々の力が発揮され、一体化するというのは、今回の対談のなかでも話題になった、全体調和優先の体質の現れだともいえますよね。個人ではなく、複数によって構成される社会的単位でのヒーロー性が優先されているのです。

豊田　少し視点がずれるかもしれませんが、私は『鉄腕アトム』のシナリオを手がけていたときに、虫プロが「鉄腕アトムクラブ」という雑誌を出版していて、アメリカの子供たちの感想文を翻訳して載せていたことがありました。そのときに「鉄腕アトム」に対して、アメリカの子供たちは強い憧れがあることを知りました。

なぜか、と考えると、アメリカには〝子供のヒーロー〟というものがあまりいないんですね。けれど、『鉄腕アトム』はロボットとはいえ、子供の格好をしていますし、他のアニメでいえば『赤胴鈴之助』なんて子供なのに、大人に勝利してしまうわけです。

ヨーロッパの教育というものは、どちらかというと「悔しかったら早く大人になってみろ」という教育ですよね。対して日本の場合は、「子供はまだ幼いのだから仕方がない、今は伸び伸びとさせておこう。でも、大人になるに従い社会的な制約が増えてくるかもしれない」という感覚ですね。ヨーロッパとはそこが大きく違うのかもしれません。

ヤマザキ ヨーロッパも特殊ですね。『フランダースの犬』『小公女』『オリバー・ツイスト』『家なき子』……。現実社会の不条理と向き合わされて、その犠牲となる子供が主人公となっている物語はけっこう多いですね。アンデルセンなんかもそんな作品ばかりですしね。

だいたい19世紀後半からそれこそ昭和のあたりまでその傾向は続いていたと思うのですが、少なくとも欧州のそうした不条理児童文学は、やはりキリスト教的倫理性を養わせる素材にもなっていたのでしょう。ああいった文学と接することで、子供たちの精神性が鍛えられた面もあったと思います。

豊田　そのうちだんだん大人になる覚悟ができる、ということですね。

ヤマザキ　ああいった欧州の児童文学では、子供はむやみやたらと闘ったりはしないですね。不条理と向き合いつつ忍耐力を鍛え、人間の実体をにらみつつ妄想に惑わされない意識を身につけていく。そして立派な大人へと成長していく、というのが王道のパターンではないでしょうか。

豊田　日本の漫画は、戦前に出版されたものからそうでしたね。『冒険ダン吉』も子供の物語でした。

ヤマザキ　そうですね、確かに1950年代頃までの漫画を開くと、子供たちはみんな、けっこう酷い目に遭いつつも頑張っているというスタイルですね。

今の漫画ももちろん、空想世界ではあっても理不尽かつ不条理な状況のなかで、解放を目指して活躍する少年少女の話が多いわけですけど、『ONE PIECE』も『進撃の巨人』も『鬼滅の刃』も、敵と戦うのは結局みんなグループなんですよ。それぞれ個性的ではあるけど、お互いを支え合うことで一つのパワーを生み出す集団。そうしないと、たぶん読者が感情移入できないんだと思います。

「同調圧力」や「調和」といった話とも結びつくところですが、漫画の世界でも、アイドルであっても、そして一般的な社会のなかでも、グループであれば、うっかり誰かが何かを間違ってしまっても、みんなで分散できる。リスクを回避できますし、精神的なダメージも少ない状態で抑えられますよね。

勇気を振り絞り、満身創痍になること覚悟で、たった一人で敵に向かう。観客を満足させるためにステージに上がる。考えてみると、こうしたヒーロー像は一神教が母体となった欧米で求められている、リーダーのイメージと重なりますね。アトムもタイガーマスクも矢吹丈も、日本の西洋化を顕在化したキャラクターなのかもしれない。そんな西洋化への適応に違和感を感じつつある現代の民衆は、やはり単独で頑張るヒーローではなく、グループを支持したくなるということなんでしょう。

豊田　確かに『ONE PIECE』も『ポケットモンスター』も、とにかくいっぱい出てくるし、みんなグループですね。

ヤマザキ　とはいえ、年配のミュージシャンには今も単独でステージに上がって、全身全霊でライブを行っている人もいますし、そんな単独のスターを支持する人々も多いわけです。年配者ばかりかと思っていたら、けっこう若い人も多い。山下達郎さんなんてもう古希になられますが、ライブに行くと若い年齢層が多い。「俺が若い頃は

70歳のジジイのコンサートなんて行かなかったぞ」とご本人も驚いていますが、彼らの両親がおそらくファンで、その次の世代ということでしょうね。新しい世代である彼らにはきっと、グループという全体調和の安堵も必然だけど、一人きりで社会の荒波にもまれる勇気を、単独で頑張っている人から会得したいという心理もあるのでしょう。とはいえ、単独でステージに立てるスターはどんどん高齢化しているし、今の若い人たちが年配者になる頃には、伝説みたいになっている可能性もありますね。

異分子を面白がれる社会へ

豊田 そう考えると、興味深いですね。いったいどの時点で変わってきたのだろう。『鉄腕アトム』も『デビルマン』も一人しかいないですよね。

ヤマザキ やはり第二次世界大戦が節目なんじゃないでしょうか。戦前の漫画の代表作である「のらくろ」は軍隊という集団組織の一人だし。

豊田 いったいいつ頃からでしょうね、変わったのは。戦隊ものあたりからでしょうか？

ヤマザキ　集団としてのアイコン支持は１９６０年代のグループサウンズ全盛期がスタート地点だったのではないかと思いますが、私がイタリアに渡った80年代、日本では「おニャン子クラブ」というグループが登場していました。全身全霊で芸を披露する単独のアイドルよりも、ゆとりがあって、わいわい楽しげなグループのほうが見ていてホッとするというのはあると思います。グループの個性というのもまた、社会というグループに帰属する人間の立場からしてみると、感情移入しやすいというのもあるのでしょう。

面白いことに、当時、イタリアにも女の子たちの集団を見せ物にした人気番組がありました。それぞれの個性を売りにして、だけど全体で見ていて楽しい、というやつです。コンセプトとしては日本とまったく同じでしたが、気づいた頃にはいつの間にかなくなっていました。あれ以降、あんな集団的アイドルグループが現れたことはありません。イタリア向きではなかったんでしょう。

豊田　合わなかったんでしょうね。

ヤマザキ　やはり一神教で、単独のヒーローが人間として学ぶ姿だとする倫理の国では適応しなかった。でも、日本にはずっとその系譜が残り続けている。面白いのは、そうした調和が基盤となったグループを構成するメンバーの個性を競わせるところですかね。

うちのイタリア人の夫が「日本は確かに全体調和で社会のバランスをとっている国だけど、実はグループを構成している人間たちはイタリア人より確立した個人なんじゃないか」と言っていて、へえと思ったんですよ。個人主義をうたうイタリアではあっても、根底ではキリスト教の倫理観で繋がっている。家族という単位にこだわるのもそこだと思うのですが、片や日本は八百万の神のように、まとまっているけど実はそれぞれに距離があるという。言われてみればそうかもしれません。

豊田　誰がセンターをとるのか、というのをずっとやっていますからね。

ヤマザキ　調和を乱すような個性に対しては排除のスイッチが入ってしまうのですが、その個性は表面化さえしなければいいのであって、グループを構成する個人の性質の多様性は認知されている、というのが漫画やアイドルのグループを見ていると実感できます。一方で、イタリアのようなカトリックの理念が浸透している国では、表向きでは個性重視や個人主義でありながらも、血族としての繋がりや、何より倫理的価値観の共有には非常に強い思い入れがある。

変な喩えになりますが、エノキダケというきのこがあるじゃないですか、石突から一斉に無数のきのこが生えている。あの石突を、要するに上に向ければ西洋、下に向ければ日本、みたいなイメージが思い浮かびました。

日本はそれでも、どこかで西洋式の〝出る杭〟的存在が必要なんじゃないかと思っている節はあるんですよね。２０１４年に日本の総務省が「日本のテクノロジー分野で地球規模の価値創造を生み出すために」という名目のもと、「変わった人を支援し、出る杭を支援したい」とプロジェクトを始めました。私は、〝スティーブ・ジョブズ育成プロジェクト〟と揶揄していますけれど（笑）、そんなプロジェクトを企てた時点で計画は失敗だなと思いました。そもそもアメリカには、一つの分野に特化した、たとえ問題はあっても秀でた才能をもった人間を認める社会ができていた、ということです。

ジョブズは、自分を雇ってくれる会社に行って、雇われた初日から「こいつら全員バカ」と言うようなとんでもない男です。そんな毒素を持った存在を会社に入れる。日本の企業ではまず考えられないでしょうね。けれどアメリカでは、払う代償は大きいけれど、そういう人の才能を見抜けば我慢してでも共生を実現させていくエネルギーがあるということです。燃費が悪くてなんぼ、なんです。

豊田　昔の日本は、新しいもの好きで、好奇心があり、何か異なるものを受け入れようとする風土がありましたよね。

ヤマザキ　バブルの頃まではあったと思いますよ。虚勢を張るのが楽しかったんですよね。知らないことなのに、知ったふりをする。たとえわからなくても「あー、それね」と言って、あとから一生懸命に辞書で調べてみる。シークレットブーツをうまい具合に履きこなし、四角い肩パットのデザイナーズブランドのスーツを身にまとい、自分という存在を謳歌する。でも今は、シークレットブーツを履きたいなんて思う若者なんて皆無でしょう。まあ、経済的安定感があったからこそ、失敗しても恥をかいても楽観的でいることができたんだと思いますけどね。

豊田　「等身大以上の自分を見せよう」とすることがかっこ悪いという考えにシフトしていて、だったら馬鹿な自分を正当化しようとする方向へ行く、ということなのかもしれません。

ヤマザキ　私は、昨年息子が日本でオンラインの就職面接を受けているのをチラッと見ていましたが、息子はずいぶん偉そうな態度で面接官に、「ああ、そうですか、なるほど。でも僕はそういうふうには思わないです」などと、アメリカに暮らしていたときと同じ態度を取っているわけです。うちの息子は高校、大学とアメリカですが、スティーブ・ジョブズのプレゼンのような弁論を仕込まれている彼にとって、そんな態度こそが優位だと思っていたのでしょう。

面接官は息子の発言に耳を傾けつつひたすら頷き、最後には「今日は本当にありがとうございました、面白かったです」と息子に挨拶をしていました。私はそれを見て「これは落ちたな」と思いました。「日本にいる限り、今みたいな態度で雇用されることはまずないよ」と本人にも伝えましたが、本人は納得していない。「でも彼はとても楽しそうだったし、いい感触だったよ」と楽観的でしたが、案の定結果はバツ。落ち込む息子に「日本には日本式のやり方があるんだ」と伝えました。予定調和が求められる社会では、自分たちのイメージの枠から出てしまっているような人間はリスクになってしまう。そこはアメリカとは違う。だったらアメリカで就職すればいいじゃないかと言ったんですけどね、本人はますます日本での就職にこだわるようになりました。

これがバブルの時代だったら事情も違っていたのかもしれませんけどね。日本の会社はどの時代も同じ体質ではあると思うんですけど、儲かっていた分、リスクももしかすると「思いがけないメリットをもたらすかも」、と捉えていた人たちはいたと思います。

「出る杭」は叩けばいいもんじゃない

豊田 面白がって、拾ってくれる人が一人はいましたね。全員がそうなってしまっては困るけれど、刺激剤みたいな存在というものがいたものです。先ほどからヤマザキさんが言われる同調圧力というものが、日本社会では常に働いている。10年ほど大学教授をやってわかりましたが、教授会でも、飲み会でも、誰も本音を言わない。私は、学長に対しても、こんなことをしているとあなたは晩節を汚すことになります、と言ったことがあります。こんな大学、いつ辞めても困らないという自信があるからです。しかし、ほとんどの教員は、みな面従腹背を決め込んでいる。ところが、数人の飲み会などでは、そこにいない人の悪口がすぐ始まる。島根県立大学という地方大学ですが、一時は国公立大学の就職率トップになった。大企業で工場長なども経験し、学生を採用する側にいたことのある教授が、かつての人脈をたどって就職先を開拓したり、学生の意識改革をやったりした。その成果が出たわけです。ところが、教員の間では非難ごうごう。早くから学生を就職に追い立てて、学業を疎(おろそ)かにさせているという。出る釘は打たれる社会なのです。

　私が奔走して、アジア史学会をこの地方大学で実現したときは、中国、韓国などの研究者の歓迎会の日時を、わざわざ私に教えなかった。誰かのプレゼンスが高まるのを好まない風潮が日本社会には存在すると、よくわかりました。昔は良かった式の老人の繰り言になるかもしれませんが、こうした例は現在の日本社会のあちこちで、当たり前のように起こっているのでしょうね。以前は、こんなではなかった。

ヤマザキ　たとえばソニーがウォークマンを発売し、世界で頭角を表していた頃などは、今とは確実に違っていたと思います。私はウォルター・アイザックソンが著した伝記『スティーブ・ジョブズ』を漫画化したんですけれど、日本企業が出してくる切り札がすごすぎて、世界の人々もビクビクしていたという描写が出てくる。そんな時代があったんですよ。出る杭をただひたすら目障りだと打ちまくるのは習性として仕方がないにせよ、たとえばその杭が金やプラチナやダイヤモンドでできていたらどうするんですか？　という話です。クオリティの高い質でできている杭は叩いて潰してはだめですよ。そこに残しておくと、同じ素材でできているけれど飛び出す勇気のなかった他の杭も少しずつ出てくるかもしれません。そういった素材でできた何本もの杭を支えるには、強固な土台が必要になってきますけどね。

豊田　それは、漫画の世界でも、小説の世界でも、産業界にもいえることです。異端なものを引っ張っていくような人が必要であり、その受け皿みたいなものがあったのだと思います。

ヤマザキ　今の人間は、とにかく自分という存在の扱いに戸惑いまくっているんですよ。世の中は、人生は素晴らしいものである、と教え込んでくるけれど、不景気だったりパンデミックがあったり戦争まで起きて、これのどこが幸せなのよ？　という疑念を抱かざるを得なくなる。でも疑念というのは燃費の悪い感情なのであまり稼働させたくない。ということは、必要最低限の生きる意欲と、感情の動きの沸点をことごとく下げること、そして、生きている責任を問われないように、なるべく目立たずに生きていこうと思うようになる。自分という存在に対して弱気な意識しか持てず、自分のなかに人と違う部分があると感じれば、自分のなかに隠蔽（いんぺい）して生きていく。

今という時代の特徴を配慮した人間の判断ですから、それはそれで受け入れていくべき傾向なのかもしれません。「みんなそんなんじゃダメだ、前向きに頑張ろうぜ」などと熱量の放出を煽ろうとも思っていません。それでも、歴史という過去には今を生きるのに必要なヒントがたくさん潜んでいますし、何より日本の個性、日本の資質というものを、私たちはもう一度、しっかり着眼しておくべきかとは思います。

一神教の神をヒーローとし、それが自分たちの生き方に反映されている西洋と、八百万の神が母体となった調和優先の日本が、あらゆる価値観を共有するのは正直あり得ないでしょう。海外在住年数が長く、さまざまな国を見て、外国人の家族を持つ私であっても、人類が価値観の差異を共有し合う難しさを率直に感じています。

自分たちの生きている日本をよく知ること、そして日本人としての性質を自覚すること、そこに西洋からもたらされた思想や文化のレイヤーと重ねていきつつ、そのつど何か手応えのある答えを出していけばいいんじゃないでしょうかね。ただし、それには、怠惰は禁物ですけどね。怠けていたら怠けていただけの結果しか得られないでしょう。メンタルコスパの配慮もわかりますし、燃費の良い合理的な人生の過ごし方を望んでいるのもわかりますが、人間というのは自家発電機能を備えているのですから、あまり怖がらずに稼働してみるといいんですよ。たった一度きりの人生なんですからね。

おわりに

ヤマザキさんとイタリアを巡る奇縁

豊田有恒

ヤマザキマリさんと出会ったのは、さる忘年会の会場である。この忘年会は、長年の友人の漫画家とり・みきがSFアニメ関係者、漫画家などを招いて、年末の恒例行事として催（もよお）している。

話は、40年以上も昔に遡（さかのぼ）る。わが家に遊びに来る若い友人たちから、会社組織にしないかと持ち掛けられたことから始まった。収入ガラス張りの小説家としては節税のためということで、彼らの提案に乗って、下北沢の駅の近くに2DKのアパートを借りて、「パラレルクリエーション」通称パラクリなる事務所を立ち上げた。卵もふくめて、SFアニメ、漫画、イラストなどに携わる多くの若いクリエイターが、溜まり場として集まってくれるようになった。節税にはならなかったが、若い友人たちに囲まれて楽しい日々を過ごすことができた。

好青年（当時）とり・みきも、パラクリの常連の一人で、デビューしたばかりの有望株であり、折に触れて私のような者でも、いつも立ててくれた。ヤマザキマリさんと出会ったとき、私は恩師手塚治虫さんの想い出など話した記憶があるが、妻の久子のほうがすっかり意気投合し、以後、コンサートやら女子会などでご一緒させていただくばかりでなく、フェイスブックでも繋がり、今に至っている。

ヤマザキさん、そしてイタリアとの関わりでは、奇縁ともいえる事実も、妻から聞かされている。イタリアで、ヤマザキさんとも親しかった茜ケ久保徹郎という男がいる。これがなんと、私の小中学校の同級生で、お互いの家を行ったり来たりし、取っ組み合いの喧嘩までした親友にあたる。

私は慶応、彼は早稲田に進学したのだが、その翌年、オートバイで世界一周の冒険旅行に出かけ、イタリア女性と恋に落ちて、ローマオリンピック（１９６０年）を迎え、イタリアに住み着いてしまい、以後60余年、いわばローマの日本人社会の主のような存在になっている。ＪＥＴＲＯ（日本貿易振興機構）の仕事をしていたため、イタリア関係のイベント、たとえばポンペイ展などのコーディネーターを務め、現在はローマの日本人学校の校長で、私と同年ながらバイクを乗りまわす現役である。

ヤマザキさんも、最初、なぜ私が茜（長い苗字なので略す）を知っているのか不思議に思ったらしい。知っているどころではない。私たち夫婦がイタリアへ行くと茜の家に泊めてもらうし、茜が日本へ来ると、わが家に泊まるという関係が続いている。

ヤマザキさんとイタリア絡みでは、ひと頃わが家に居候（いそうろう）をしていたエドアルド・ジェルリーニ君（東大院卒）を紹介したことも、奇縁の一つだろう。平安文学を研究する日本学者（ジャパノロジスト）で、授業や講演のためイタリアと日本を往復しているが、ヤマザキさんにも目をかけていただいている。

とり・みきは、ヤマザキさんとの合作で、『プリニウス』を発表している。ローマ帝国の皇帝ネロと同時代の人で、博物学の開祖として、後のボルヘスなど多くの作家に影響を与えている。私も愛読しているが、ここらで、ヤマザキさんの健筆を祈りながら、筆を置くとしよう。

豊田有恒（とよた ありつね）

1938年、群馬県生まれ。島根県立大学名誉教授。若くしてSF小説界にデビュー。歴史小説や社会評論など幅広い分野で執筆活動を続ける一方、古代日本史を東アジアの流れのなかに位置づける言説を展開して活躍。著作には数多くの小説作品の他、ノンフィクション作品として『たのしく老後もはたらく生き方』『一線を越えた韓国の「反日」』（いずれもビジネス社）、『ヤマトタケルの謎－英雄神話に隠された真実』『「宇宙戦艦ヤマト」の真実 いかに誕生し、進化したか』（いずれも祥伝社新書）などがある。

ヤマザキマリ

1967年東京生まれ。漫画家・文筆家・画家。東京造形大学客員教授。84年にイタリアに渡り、フィレンツェの国立アカデミア美術学院で美術史・油絵を専攻。2010年『テルマエ・ロマエ』（エンターブレイン）で第3回マンガ大賞受賞、第14回手塚治虫文化賞短編賞受賞。15年度芸術選奨文部科学大臣新人賞受賞。17年イタリア共和国星勲章受章。著書に『プリニウス』（新潮社、とり・みきと共著）、『オリンピア・キュクロス』（集英社）、『国境のない生き方』（小学館新書）、『ヴィオラ母さん』（文藝春秋）など多数。近著に『リ・アルティジャーニ ルネサンス画家職人伝』（新潮社）、『地球、この複雑なる惑星に暮らすこと』（文藝春秋、養老孟司と共著）、『歩きながら考える』（中央公論新社）などがある。

不思議の国 ニッポン

2023年3月1日　　第1刷発行

著　者　豊田 有恒　ヤマザキ マリ
発行者　唐津 隆
発行所　株式会社ビジネス社
〒162-0805　東京都新宿区矢来町114番地 神楽坂高橋ビル5F
電話　03(5227)1602　FAX　03(5227)1603
https://www.business-sha.co.jp

〈装幀〉藤田美咲
〈カバー、帯写真〉山崎デルス
〈本文デザイン、組版〉関根康弘（T-Borne）
〈編集協力〉古谷ゆう子
〈企画協力〉水無瀬尚
〈印刷・製本〉中央精版印刷株式会社
〈営業担当〉山口健志
〈編集担当〉山浦秀紀

ISBN978-4-8284-2494-1

ビジネス社の本

たのしく老後もはたらく生き方

84歳、死ぬまで現役大作戦

豊田有恒

定価 1,540円（税込）

ISBN978-4-8284-2435-4

老いてなお、一人で働く。
自由業に賭けた私のやり方を大公開!

一度しかない人生の残り時間。
好きなことに挑戦してみよう。
立ち位置を変えれば、目の前の世界が広がる!!

・安定した職業の外で生きる、とはどういうことか
・趣味が嵩じれば、それが仕事になる
・自分だけの「情報テリトリー」があれば大丈夫
・講座で学べ。仲間を作れ
・自由業者のカネとモノ　など